Sara Mai
a Lleidr y Neidr

I Begw Nel

Sara Mai
a Lleidr y Neidr

Casia Wiliam

y Lolfa

Argraffiad cyntaf: 2021
Ail argraffiad: 2022

Dymuna'r cyhoeddwyr gydnabod cymorth ariannol
Cyngor Llyfrau Cymru.

Rhif Llyfr Rhyngwladol: 978 1 80099 117 0

Cyhoeddwyd ac argraffwyd yng Nghymru gan
Y Lolfa Cyf., Talybont, Ceredigion SY24 5HE
gwefan www.ylolfa.com
e-bost ylolfa@ylolfa.com
ffôn 01970 832 304
ffacs 832 782

Cynnwys

Cyfarfod Un, Dau a Tri

Mae yna eiriau doniol yn Gymraeg, does? Wnes i ddysgu'r diwrnod o'r blaen wrth ddarllen llyfr Mali'r Milfeddyg mai'r enw Cymraeg am *marsupial* ydi bolgodog! Ond mae'n gwneud synnwyr bod 'bol' yn y gair, a dweud y gwir, achos dyna beth ydyn nhw – anifeiliaid sy'n cario eu babis mewn poced o flaen eu bol, fel cangarŵ, arth coala a pademelon. Bolgodog!

Mali'r Milfeddyg ydi fy arwr i. Cymeriad mewn llyfr ydi hi; milfeddyg gorau'r byd sydd wastad yn cael anturiaethau anhygoel ac yn gorfod achub anifeiliaid ar ei thaith.

Ta waeth, yn ôl at y pademelon. Mae gen i biti drostyn nhw achos mae pawb yn gwybod be ydi cangarŵ, ac mae pawb yn gwybod beth ydi arth coala, ond does bron iawn neb yn gwybod am y pademelon. Anifail ydi o sy'n debyg i gangarŵ, ond yn llai.

Mae'r pademelon mor ciwt. Mae ganddyn nhw glustiau mawr i glywed o bell os oes rhywun yn dod, coesau cryf a chynffon drwchus. Ac maen nhw'n anifeiliaid bolgodog, felly maen nhw'n cadw eu babis mewn poced o flaen eu bol am chwech neu saith mis ar ôl iddyn nhw gael eu geni, nes eu bod nhw'n ddigon cryf i ddod allan i'r byd. Handi, 'de?

Sara ydw i, gyda llaw. Sara Mai. Dwi'n byw mewn sw, felly dwi'n gwybod bob dim am anifeiliaid. Wel, ocê, ella ddim bob dim, ond lot. Dwi wrth fy modd efo anifeiliaid – morgrugyn, mwnci, morfil… dwi'n licio pob un! Mae pob dim amdanyn nhw'n ddiddorol ac maen nhw gymaint yn haws i'w deall na phobl.

"Sara Mai! Brysia os wyt ti isio dod efo fi i weld Un, Dau a Tri!"

Wrth glywed Mam yn gweiddi dwi'n cau llyfr Mali'r Milfeddyg yn reit handi ac yn sgrialu i lawr y grisiau. O'r diwedd! Dwi wedi bod yn aros am y diwrnod yma ers oes pys!

"Wyt ti'n meddwl fyddan nhw'n edrych yn union yr un fath â'i gilydd, Mam? Wyt ti'n meddwl fyddwn ni'n gallu dweud pa un ydi pa un? Wyt ti'n meddwl fyddan nhw'n swil?"

O'n cwmpas ni mae teuluoedd bach a mawr yn crwydro'n hamddenol, a sŵn gwichian a chwerthin y plant yn cario ar y gwynt wrth iddyn nhw weld eu hoff anifeiliaid.

"Sara Mai fach, un cwestiwn ar y tro!" Ond mae Mam yn chwerthin. Mae hi'n licio anifeiliaid gymaint â fi, a fedra i ddweud ei bod hi'n methu aros chwaith. Wedi'r cwbl, hi ydi Ceidwad y Sw. Roedd James wedi anfon neges at Mam yn hwyr neithiwr i ddweud bod y cywion pademelon wedi dod allan o boced eu mam am eiliad fach, am y tro cyntaf erioed! James ydi Prif Swyddog y Sw. Felly Mam ydi'r bòs bòs, ond wedyn James ydi'r bòs nesaf, a dwi'n licio meddwl mai fi ydi'r bòs nesaf wedyn. Fedra i weld het bompom goch James o bell wrth i ni gerdded draw at y lloc.

Mi gafodd ein trilliaid pademelon ni eu geni tua

saith mis yn ôl, a'r adeg hynny roedden nhw tua'r un maint â ffeuen, neu jeli bîn. Ers hynny maen nhw wedi bod yn swatio'n saff ym mhoced eu mam, yn tyfu ac yn bwydo, ac o'r diwedd maen nhw'n barod i ddod allan. Dwi mor falch eu bod nhw wedi dewis dod allan ar ddydd Sadwrn!

"Fi ffaelu aros i ti weld nhw, Sara Mai," meddai James wrth i ni gyrraedd. "Y cywion pademelon cyntaf eriôd yn Sw Halibalŵ! Ma heddi'n hanesyddol!"

"Dwi'n gwybod! Ac mae'n hen bryd iddyn nhw gael enwau call. Bechod, rydan ni'n eu galw nhw'n Un, Dau a Tri ers misoedd!"

"Ia, ond roedd rhaid i ni aros i weld os mai hogia 'ta genod oedden nhw, yn doedd?" meddai Mam, wrth agor y lloc yn ofalus. "Tydan ni ddim isio Jeffrey arall, nac ydan?!"

Jiráff ydi Jeffrey. Jiráff benywaidd – ie, hogan! Pan gafodd hi ei geni roedd pawb yn meddwl mai jiráff gwryw oedd o, felly mi gafodd hi ei bedyddio yn Jeffrey, ond wedi dallt, jiráff benywaidd oedd hi, ond erbyn hynny roedd hi'n rhy hwyr i newid yr enw, felly Jeffrey ydi Jeffrey o hyd.

"Mae gen i dipyn o syniadau am enwau..." meddwn i'n obeithiol wrth edrych ar James, ond ro'n i'n gwybod mai James fyddai'n cael eu henwi nhw, gan mai fo oedd y cyntaf i'w gweld nhw. Dyna ydi'r drefn yn Sw Halibalŵ.

A'r eiliad nesaf dwi'n eu gweld nhw fy hun. I ddechrau mae yna un, yna ddau ac yna dri phen bach yn popio allan o boced Petra y Pademelon!

"O, 'drych! Fi'n credu taw hwnna yw'r peth mwya ciwt i fi weld eriôd," meddai James, gan wenu o glust i glust.

Dwi'n cytuno, ond dwi wedi rhyfeddu gymaint nes 'mod i'n methu dweud dim byd. Sy'n anarferol i fi.

"Helô, chi!" meddai Mam, gan estyn atyn nhw i wneud yn siŵr eu bod nhw'n iach, ac i weld ai gwryw neu benyw ydyn nhw. Ar ôl munud mae hi'n cyhoeddi, "Wel wir, tair o ferched rwyt ti wedi'i gael, Petra! Sôn am drwbwl!"

"Ond Mam, mae hynna'n wych!" meddwn i, wedi ffeindio fy nhafod o'r diwedd. "Achos mae hynna'n golygu y gallan nhw i gyd gael cywion

pademelon, ac mi fydd yna fwy a mwy ohonyn nhw!"

"Ti'n llygad dy le, Sara Mai," meddai Mam, wrth osod un o'r cywion bach yn fy nwylo. Mae'r cyw bach yn feddal ac yn gynnes, ac yn edrych i bob cyfeiriad wrth weld y byd am y tro cyntaf.

Mae pademelon yn anifail gweddol brin erbyn hyn, felly mae'n newyddion arbennig iawn, iawn y bydd mwy a mwy ohonyn nhw'n cael eu geni yma yn Sw Halibalŵ. Mi fasa Mali'r Milfeddyg wrth ei bodd! Dwi wrthi'n meddwl am hyn pan dwi'n clywed sŵn gweiddi aflafar y tu allan. Criw o blant sydd yno'n gwneud lol.

Dwi'n rhoi'r cyw bach yn nwylo Mam eto ac yn rhedeg allan at y plant.

"Shhh, plis! Dim siw na miw! Mae 'na fabis bach newydd sbon yn fama. Mi fyddwch chi wedi eu dychryn nhw!"

Mae'r plant yn edrych yn hurt arna i ac yn chwerthin, cyn ei throi hi am y llewod.

Pan dwi'n mynd yn ôl i mewn mae Mam a James yn gwenu ar ei gilydd.

"Sara Mai, hoffwn i dy gyflwyno di i Siw, Miw a Cyw!"

"O, James!" ac mae'r tri ohonan ni'n dechrau chwerthin, nes bod y cywion pademelon yn troi eu pennau bach i bob cyfeiriad i weld beth ydi'r sŵn.

Ar ôl tipyn mae Mam a James yn mynd i wneud gweddill dyletswyddau'r diwrnod, gan fy ngadael i ar ben fy hun bach efo Siw, Miw a Cyw. Fel arfer rydw i'n brysur iawn ar ddydd Sadwrn, yn bwydo'r anifeiliaid ben bore, ac yna'n helpu i fwydo'r morloi yn y sioe ddŵr yn y prynhawn, ond heddiw dwi'n meddwl 'mod i am aros fan hyn i gadw cwmpeini i Siw, Miw a Cyw ar eu diwrnod cyntaf allan yn y byd mawr.

Wrth fwytho eu pennau bach brown, cynnes, dwi'n diolch eto o waelod fy nghalon ein bod ni wedi llwyddo i achub y sw. Ychydig fisoedd yn ôl roedd hi'n edrych yn debyg y byddai'n rhaid i ni gau, ond mi wnes i a phawb o griw'r sw, ac ambell ffrind newydd, frwydro gyda'n gilydd i achub y sw – ac ennill! Dwi ddim yn meddwl y byddwn i wedi goroesi heb y sw. Mi faswn i fel pysgodyn heb ddŵr, neu bademelon heb boced.

"Sara Mai?"

Dwi'n clywed llais Seb y tu allan.

"Dwi'n fama!" meddwn i'n llawn cyffro, gan edrych ymlaen i gyflwyno Siw, Miw a Cyw i Seb. Ond yna dwi'n gweld dwy welington binc yn dod rownd y gornel ac mae 'nghalon i'n suddo. Grêt. Jasmine.

"Haia!" meddai Jasmine yn ei llais trio-rhy-galed. "Oooooo mai gooooood, am ciiiiiiiwt!!"

Mae hi'n rhuthro at y cywion pademelon ac yn trio gafael ynddyn nhw.

"Paid!" medda fi. "Paid â'u dychryn nhw!"

"Ocê, Sara Mai, *chill*," meddai Seb wrth iddo lusgo ei draed ar ein holau ni. "Dim ond isio'u gweld nhw ydan ni, 'de Jas?" ac wrth ddweud hynny mae Seb yn rhoi ei fraich am ganol ei gariad newydd, Jasmine. A dwi eisiau chwydu.

Dwi ofn i Jasmine grafu un o'r cywion bach gyda'i hewinedd hir, miniog, ac yn methu ymlacio wrth ei gwylio. Ar ôl pum munud mae'n amlwg bod Seb a Jasmine am aros, felly dwi'n gwneud esgus i adael.

"Well i fi fynd, mae yna fynydd o bw eliffant yn aros amdana i." Ac yna dwi'n ychwanegu, "Ti isio dod i helpu, Jasmine?"

Dwi'n gweld y panig ar ei hwyneb tan iddi sylwi mai herio ydw i, ac mae hi'n chwerthin ac yn ysgwyd ei phen nes bod ei gwallt hir melyn yn siglo fel mwng ceffyl.

Mae Seb yn gwneud llygaid blin arna i wrth i mi adael, ond dwi wedi cael hen ddigon ar lais siwgr-candi-mêl Jasmine, felly dwi'n tynnu tafod arno fo cyn rhedeg allan i'r haul. Mi fasa'n well gen i garthu pw eliffant trwy'r dydd nac aros yn fama am funud yn hirach efo Seb a'r dywysoges Jasmine.

Chwedl a neidr

"Does ganddon ni ddim llawer o ddewis, nag oes? Mae o'n ormod o waith. Mae'n rhaid i ni gael help." Mae Dad yn tywallt dŵr berwedig ar ben y gronynnau coffi wrth ddweud hyn.

"Ia, ond dwi ddim isio brysio. Mae'n rhaid i ni wneud yn siŵr bod y criw newydd yn gwybod be maen nhw'n wneud cyn i ni eu gadael nhw ar eu pen eu hunain efo'r anifeiliaid," meddai Mam, cyn bwyta llond ceg o dost.

Ers i ni lwyddo i achub y sw, a chael sylw ar y newyddion ac yn y papurau newydd, mae hi wedi bod yn brysur iawn yma. A dweud y gwir, mae hi wedi prysuro gymaint nes bod yn rhaid i ni chwilio am fwy o staff. Am hyn mae Mam a Dad yn dadlau. Eto.

"Dwi wedi dweud a dweud. Yr ateb amlwg ydi i fi aros adra i weithio," meddwn i, wrth droelli'r snap, cracl a pop yn fy mowlen. "Dwi'n gwybod sut i ofalu am yr anifeiliaid yn barod, felly fydd dim angen hyfforddiant arna i."

"Sara Mai," meddai Dad, gan afael yn fy mowlen a'i thaflu i mewn i'r peiriant golchi llestri er mod i heb orffen pysgota am y reis crispis. "Mae dy fam a finnau'n cael sgwrs o ddifri fan hyn. Dwyt ti ddim yn helpu."

"Ond dwi o ddifri hefyd!" Fedra i feddwl am ddim byd gwell na chael aros adra bob dydd yn gweithio yn y sw, yn lle gorfod mynd i'r ysgol i ddysgu am bethau hollol wirion fel chwedlau'r Mabinogi a sut mae cymylau'n cael eu ffurfio – pethau fydd byth yn ddefnyddiol i fi yn y byd go iawn.

Ond mae Dad yn amlwg wedi cael digon ar y sgwrs; fedra i ddweud wrth y ffordd ffyrnig mae o'n gwthio'r gronynnau coffi i lawr i waelod y pot nes bod yr hylif du yn sboncio allan trwy'r pig.

"Dwi'n gwybod bod angen mwy o help yma,"

meddai Mam wedyn, gan godi ei gwallt tywyll, trwchus yn uchel uwch ei phen a lapio sgarff amdano. "Ond does dim angen brysio. Mae'n rhy bwysig i hynny."

"Mae tri ohonyn nhw'n dod yma am sgwrs heddiw am un o'r gloch, ac os ydyn nhw ddigon da maen nhw'n cychwyn wythnos nesaf, iawn?" mynnodd Dad. "Mi gaiff James eu hyfforddi nhw. Dyna ddiwedd ar y drafodaeth. Dwi'n gweld dim ohonat ti! Ti allan cyn chwech bob bore a ddim yn ôl tan wedi deg y nos! Chdi dwi wedi ei phriodi, nid y sw 'ma!"

Chwarae teg i Dad, mae hynna'n wir. Mae Mam wedi bod yn gweithio o ben bore tan yn hwyr y nos yn ddiweddar, ac ro'n i'n gweld eisiau ei chwmni hi gyda'r nos hefyd.

Wnaeth Mam ddim ateb. Dim ond hwffian gwynt allan o'i thrwyn fel ceffyl blin, ac allan â hi.

"A dos dithau am y bws, Sara Mai, neu mi fyddi di wedi ei fethu eto. Does gen i'm amser i fynd â ti i'r ysgol bore 'ma."

"Iawn, iawn, dwi'n mynd! Dwi'n mynd!" Dwi'n

gafael yn fy nghôt a'm bag ac yn cychwyn am y drws.

"Dad, pam na wnei di godi'n gynt i yfed dy goffi? Mae 'na hwylia gwell arnat ti ar ôl cael coffi." A dwi'n gwenu arno led y pen cyn diflannu trwy'r drws. Dwi'n siŵr ei fod o wedi gweiddi rhywbeth ar fy ôl i ond erbyn hynny dwi hanner ffordd i lawr y lôn am y bws.

Dydd Llun arall. Mae eisiau amynedd. Ges i benwythnos mor braf yn chwarae efo Siw, Miw a Cyw, yn helpu Zia yn y dderbynfa ac yn cael Polo mints ganddi, ac yn cadw cwmpeini i James wrth iddo fynd â swper i holl anifeiliaid y sw. A dyma hi'n ddydd Llun eto.

Dwi ddim yn casáu'r ysgol gymaint ag oeddwn i. Roedd tymor diwethaf yn anodd, gan fod Leila, y ferch newydd, wedi bod yn pigo arna i. Dweud pethau cas oedd hi, am y ffordd dwi'n edrych. Ond mae hi wedi dweud sori erbyn hyn ac rydan ni'n ocê. Hynny ydi, rydan ni'n iawn efo'n gilydd. Faswn i ddim yn dweud mai hi ydi fy hoff berson i, ond dwi ddim eisiau ei bwydo hi i Crystyn y crocodeil erbyn hyn chwaith.

Wrth i mi ddechrau hel meddyliau am y ffaith fod crocodeilod yn pwyso tua 500kg, sef yr un faint â charafán fach, mae bws yr ysgol yn tuchan ei ffordd tuag ata i. Cyn pen dim rydan ni wedi cyrraedd, a dwi'n gweld Oli y tu allan yn aros amdana i.

"Sara Mai! Sbia ar hyn!" meddai, yr eiliad dwi'n camu oddi ar y bws.

Mae o'n gafael yn ei ffôn a'i lygaid fel dwy soser.

"Sbia!"

Dwi'n rhoi fy mag ar y llawr er mwyn pwyso ymlaen i gael gweld beth sydd ar y sgrin.

"O mai god, mae hyn mor afiach ac mor cŵl."

Neidr anaconda enfawr sydd yn llenwi ei sgrin, ac mae hi ar ganol bwyta carw cyfan. Mae o *yn* afiach, *ac* yn cŵl. Mae'r neidr wedi lapio ei hun am gorff y carw nes ei bod yn ei fygu, ac yna, mae'n agor ei cheg led y pen ac yn araf bach yn bwyta'r carw mewn un tamaid. Nes bod bol y neidr siâp corff carw!

"Yyyyyych a fi." Oli sy'n siarad, ond dwi'n teimlo'r reis crispis yn troi yn fy mol i hefyd.

"Fydd bol y neidr yna'n llawn am flwyddyn rŵan."

"Be? Ti'n jocian!"

"Na! Dyna mae anacondas a peithons yn neud – bwyta creaduriaid enfawr a wedyn maen nhw'n gallu defnyddio'r egni yna am hyd at flwyddyn i'w cadw nhw'n fyw!"

"Woooow!" meddai Oli, a dwi'n gwenu, yn falch 'mod i'n gwybod mwy am anifeiliaid na fo. Mae o'n dda iawn yn yr ysgol ac yn gwybod mwy na fi am bron iawn bob dim arall.

Ymhen ychydig funudau mae'r gloch yn canu, ac mae pawb yn cerdded i mewn i'r ysgol fel morgrug.

"Bore da, Blwyddyn 5!" meddai Mr Parri, fel tasa fo'n cyflwyno sioe gwis ar S4C. Mae pawb yn mwmial bore da dan eu gwynt.

"Pawb yn llawn egni ac yn barod am wythnos arall? Grêt!" meddai wedyn, yn goeglyd. "Mae gen i jyst y peth i'ch deffro chi bore 'ma. Chwedl arall o'r Mabinogion, chwedl Branwen ferch Llŷr."

A finnau'n meddwl na fasa dydd Llun yn medru mynd ddim gwaeth. Does gen i ddim amynedd efo hen, hen straeon fel y Mabinogion. Dwi ddim yn gweld be ydi'r pwynt i ni – y bobl sy'n byw heddiw – glywed hanes rhywbeth ddigwyddodd amser mor bell yn ôl. A hynny os wnaeth o ddigwydd o gwbl! Chwedlau ydyn nhw – tydan ni ddim yn gwybod a ydyn nhw'n wir, hyd yn oed!

Mae Mr Parri yn cychwyn arni gan wneud lleisiau dramatig, a dwi'n syllu trwy'r ffenest yn hel meddyliau am nadroedd a chrocodeilod wrth i'r stori lifo i mewn trwy un glust ac allan trwy'r llall. Sgwn i be mae Mam a James yn ei wneud rŵan? Sgwn i be mae Siw, Miw a Cyw yn ei wneud rŵan? Mae'r sw ar gau ar ddyddiau Llun, i roi cyfle i ni gael trefn ar ôl y penwythnos prysur, ac i'r anifeiliaid gael diwrnod o lonydd. Bechod na fasa'r ysgol ar gau ar ddydd Llun hefyd.

"A dyna ni. Tipyn o stori, tydi? Mi fyddwn ni'n cael prawf bach ar Chwedl Branwen bore dydd Mercher, iawn? Dim byd mawr, does dim angen i neb boeni, ond mae prawf yn ffordd dda o wneud yn siŵr bod pawb wedi dysgu a gwrando. Reit 'ta, mi fydd hi'n amser egwyl toc, ac ar ôl yr egwyl dwi am i bawb ddod yn ôl i mewn yn drefnus, estyn eu llyfrau Mathemateg a dechrau gweithio'n dawel. O'r gorau?"

O na. Prawf! A finnau ddim wedi gwrando ar un gair o'r stori yn iawn. Oedd yna ryw gawr ynddi? A dau frawd drwg? O na. Dwi'n edrych o 'nghwmpas a does neb arall i weld yn poeni. Mae Oli wrthi'n sgetsio rhywbeth. Mae'n siŵr ei fod o wedi gwrando.

Amser cinio dwi'n cael cyfle i siarad efo Oli o'r diwedd.

"Ym… wnest ti wrando ar y stori bore 'ma?"

Mae o'n cicio'r bêl ata i wrth i ni gerdded a dwi'n ei chicio yn ôl.

"Chwedl Branwen ti'n feddwl? Do, ond ro'n i'n gwybod y chwedl yn barod. Ges i lyfr am y Mabinogion o'r llyfrgell y llynedd. Maen nhw'n hanesion hollol boncyrs."

"Oo, iawn, wel, wnes i ddim gwrando o gwbl. A rŵan mae 'na brawf."

Mae Oli'n chwerthin wrth fflicio'r bêl i'r awyr cyn ei dal ar flaen ei droed.

"O ia… a be ti am neud am y peth?"

Mae Oli'n fy adnabod i'n reit dda erbyn hyn.

"Wel, meddwl o'n i, os basat ti'n licio dod draw ar ôl ysgol fory, a 'na i ofyn i James os ydi o'n fodlon peidio bwydo'r nadroedd tan amser te, i ti gael gweld. Ac ella pan ti acw fedri di ddweud y chwedl wrtha i? Dwi'n addo gwrando tro 'ma."

Cic arall ac mae'r bêl yn troelli uwchben Oli, ac mae'n ceisio ei dal efo'i droed y tu ôl iddo ond yn methu. Mae o'n chwerthin, ac yn smalio meddwl am y peth am eiliad, cyn estyn ei law allan i fi.

"Iawn. Bargan. Neidr am chwedl."

"Chwedl am neidr," medda fi, gan roi ochenaid fach o ryddhad, cyn rhedeg ar ei ôl i lawr y cae. Mae yna ugain munud tan rydan ni i fod yn ôl yn y dosbarth, ac mae'r haul yn boeth.

Calipo

"**G**a i helpu James i'w bwydo nhw, ti'n meddwl?"

Wrth i ni gerdded i lawr y lôn am y sw mae Zia'n codi llaw ar Oli a finnau o'r dderbynfa. Mae hi newydd liwio ei gwallt yn oren llachar, felly mae'n hawdd ei gweld hi o bell.

"Cei dwi'n siŵr. Ond… wyt ti'n meddwl fedri di?"

"Be ti'n feddwl?" gofynnodd Oli wrth sbio'n wirion arna i.

"Wel, tydi pawb ddim yn awyddus i afael mewn llygod mawr sydd wedi marw!"

"Ooo," meddai Oli, a dwi'n gallu gweld yr olwynion yn ei ben yn troi wrth iddo gysidro hyn. "Na, mae'n iawn. Fedra i neud hynna, dwi'n meddwl. Mae'n rhaid i bawb fwyta, does?"

Ar ôl cyrraedd adref y diwrnod cynt roeddwn i wedi rhedeg fel y gwynt i chwilio am James, a gofyn iddo aros un diwrnod arall cyn bwydo'r nadroedd, er mwyn i Oli gael dod i helpu. Yn ffodus, mae nadroedd yn gallu mynd am gyfnod hir heb fwyta, felly roedd James yn hapus i aros un diwrnod arall, yn enwedig ar ôl i mi esbonio bod Oli am fy helpu gyda'r prawf yn yr ysgol fel ffafr am gael bwydo'r nadroedd. Mae Dad o hyd yn dweud 'mod i ddim yn canolbwyntio digon ar fy ngwaith ysgol, ond os mai ceidwad sw dwi am fod pan dwi'n hŷn, dwi ddim angen canolbwyntio yn y gwersi Saesneg a'r gwersi cerddoriaeth, nac ydw?

"Chi'ch dou'n barod?" Mae James yn sefyll yng nghanol yr iard gyda'i het bompom ar ei ben a bwced ym mhob llaw.

"Ydi o'n gwisgo'r het 'na bob diwrnod, Sara Mai?" holodd Oli dan ei wynt wrth i ni gerdded at James yn ein crysau-T, a dwi'n trio ateb heb chwerthin.

"Ydi 'sti, nath o ddim tynnu ei het hyd yn oed ar ddiwrnod poetha'r flwyddyn llynedd! Jyst fel'na mae o. Yndan James, ar ein ffordd!"

I mewn â ni i dŷ'r ymlusgiaid. Mae hi'n dywyll yma, ond mae golau arbennig yn goleuo pob terariwm – dyna ydi'r enw iawn ar gawell nadroedd. Gan mai ymlusgiaid ydi nadroedd – creaduriaid efo gwaed oer – mae'n bwysig ein bod ni'n gwresogi pob terariwm i'r tymheredd cywir ar eu cyfer nhw.

Dwi'n gwylio Oli yn gwrando'n astud wrth i James esbonio popeth iddo am nadroedd. Mae o wrth ei fodd yn y sw. Mae o'n dod yma'n aml, weithiau ar ôl yr ysgol efo fi, neu weithiau ar benwythnosau. Mae o wedi cael tocyn arbennig gan Mam i ddod am ddim unrhyw dro. Rydan ni'n crwydro efo'n gilydd weithiau, yn edrych ar yr anifeiliaid, ond weithiau mi fydd Oli'n eistedd am oriau ar ei ben ei hun yn eu sgetsio. Y pengwin ydi ei hoff anifail yn y sw. Does gen i ddim ffefryn yn amlwg; mae'n amhosib dewis!

"Dere i weld, Sara Mai. Mae Oli am roi swper i Seithenyn!"

"Seithenyn? Pwy enwodd y neidr yma?" holodd Oli, wrth syllu ar y peithon.

"Hywyn oedd yn arfer gweithio 'ma, slawer

dydd," meddai James. "Roedd e'n dwlu ar hen chwedlau. Chi'n gyfarwydd â stori Seithenyn? Cantre'r Gwaelod?"

"Mi ydw *i*," meddai Oli, gan wenu'n slei ar Sara Mai. "Reit 'ta, be mae Seithenyn am gael i swper?"

Ac ar hynny mae Oli'n rhoi ei law mewn bwced ac yn gafael mewn llygoden fawr wedi rhewi, a'i thaflu i mewn i'r terariwm.

"Aaaa!" mae'n gweiddi wrth wylio Seithenyn yn saethu trwy'r awyr am ei swper. Yna mae'n gwasgu ei drwyn yn erbyn y gwydr i wylio'r wledd. "Cŵl."

"Ti'n hoffi nadroedd, on'd 'yt ti? Dere 'da fi," meddai James, gan arwain Oli drwy dŷ'r ymlusgiaid, gan siarad am bob neidr wrth fynd.

"Hei, dim gormod o bregath, iawn? Mae Oli angen helpu fi, cofia!" dwi'n gweiddi dros fy ysgwydd ar James, cyn mynd yn ôl allan i'r haul am dipyn gan adael i'r ddau sgwrsio.

Mae'n anarferol o gynnes am fis Ebrill; mae'n teimlo fel canol haf. Trwy gyd-ddigwyddiad rhyfedd, wrth eistedd ar fainc ac yn meddwl y byddai hufen iâ neu eis loli yn reit neis, mae Seb a dau o'i ffrindiau yn cerdded draw, yn llyfu Calipos.

"Iawn, Sara Mai? Be ti'n neud yn fama – aros am fws?"

Mae Seb bob amser yn dangos ei hun o flaen ei ffrindiau. Ond dwi ddim yn nabod y ddau sydd efo fo heddiw. Maen nhw'n piffian chwerthin ar jôc wael Seb.

"Ha-ha. Lle gest ti'r Calipos 'na?"

"O'r popty. Lle ti'n feddwl ges i nhw?!" Ac mae'r ddau ffrind, sydd fel dau epa, efo gwalltiau mawr blêr a breichiau hir yn hongian bob ochr i'w cyrff, yn chwerthin eto.

"Oes dau ar ôl?"

"Pam ti isio dau?"

"Mae Oli yma. Mae o'n bwydo'r nadroedd efo James."

Mae Seb yn troi at ei ffrindiau ac yn dweud: "Sara Mai ydi hon, fy chwaer fach i. Oli ydi ei chariad hi."

Erbyn hyn, dwi wir wedi cael llond bol.

"Naci, dim ond ffrindia ydan ni. Mae hogia a

genod yn gallu bod yn ffrindia, 'sti, ond yn amlwg dwyt ti ddim digon aeddfed i ddeall hynny. Gobeithio 'nei di dagu ar dy eis loli, y lembo."

Dwi'n clywed y ddau epa yn chwerthin eto wrth i fi gerdded i ffwrdd i nôl Calipo i Oli a fi, ond fedra i ddim bod yn siŵr ai chwerthin ar fy mhen i neu ar ben Seb maen nhw.

★

Erbyn i mi ddod yn ôl yn fy nillad chwarae ac yn cario un Calipo ac un Choc Ice (dim ond un Calipo oedd ar ôl, diolch i Seb a'i ffrindiau gwirion), mae Oli a James wedi gorffen bwydo'r nadroedd.

"Oedd hynna yn cŵl," meddai Oli, wrth roi sbonc i fyny ar fainc a dewis y Choc Ice, diolch byth. Dwi'n dechrau llyfu'r Calipo'n hapus ac yn eistedd ben arall y fainc.

Mae James yn codi ei law wrth gerdded tua lloc Llywelyn Fawr, arth yr Andes. Fo sy'n cael swper nesaf, mae'n siŵr. Neu efallai ei fod o'n cael mwy o ddŵr gan ei bod hi mor boeth.

"Iawn, ti isio clywed chwedl Branwen?" meddai

Oli, wrth blicio tameidiau o siocled oddi ar ochrau'r Choc Ice.

"Ydw, ond... wel, fedri di roi ryw fersiwn sydyn i fi? Mae'r chwedlau yma mor hir a diflas! Ac maen nhw'n straeon hollol wirion."

"Be? Na, Sara Mai, maen nhw'n storis hollol wallgo a cŵl," meddai Oli. Tydi o byth ofn dweud be mae o'n feddwl, hyd yn oed os ydi hynny yn wahanol i be mae gweddill Blwyddyn 5 yn feddwl.

"Os ti'n dweud..."

Ac wrth i mi fwynhau'r Calipo oren yng ngwres yr haul, mae Oli'n dechrau adrodd Chwedl Branwen. Ac mae'n rhaid i mi gyfaddef, mae hi *yn* dipyn o stori.

Mae yna un chwaer, sef Branwen, a phedwar brawd – Bendigeidfran (sydd hefyd yn gawr am ryw reswm), Nisien, Efnisien a Manawydan. Mae Efnisien yn ddrwg ond mae'r lleill yn dda. Wedyn mae brenin Iwerddon, sef Matholwch, yn priodi Branwen, a thra bod pawb yn dathlu yn y briodas mae Efnisien yn niweidio llwyth o geffylau Matholwch, am ei fod o'n gandryll fod

neb wedi gofyn iddo fo a gâi Branwen briodi Matholwch! Dwi'n methu bwyta'r Calipo yn y darn yna o'r stori, mae'n stumog i'n troi. Druan o'r ceffylau.

Wedyn, mae Bendigeidfran (un o frodyr Branwen sydd hefyd yn gawr) yn rhoi crochan hud o'r enw'r Pair Dadeni i Matholwch i ddweud sori am beth wnaeth Efnisien, crochan sydd yn gallu dod â phobl yn ôl o farw'n fyw, felly mae o'n hapus efo hynna. I ffwrdd â Branwen a Matholwch i Iwerddon i fyw, ond ar ôl iddyn nhw gyrraedd yno mae Matholwch yn gas efo Branwen ac yn ei chloi hi mewn tŵr! Ond rhywsut, mae

Branwen yn llwyddo i ddweud hyn wrth ddrudwy. Mae'r drudwy bach yn hedfan dros y dŵr, yr holl ffordd o Iwerddon ac yn ôl i Gymru, ac yn dweud wrth Bendigeidfran am Branwen, druan, nes bod Bendigeidfran yn brysio draw i Iwerddon i achub Branwen.

"Mae 'na fwy o stori na hynna," meddai Oli, wrth lyfu'r siocled oddi ar ei fysedd, "ond dim ond y rhan yna o'r stori wnaeth Mr Parri ddweud y diwrnod o'r blaen."

Mae fy mhen i'n troi braidd wrth feddwl am y cawr yn croesi'r môr i achub ei chwaer, ac am y ceffylau druan, ac am yr aderyn bach yn cario neges yn ôl yr holl ffordd. Ond yna mae llais Mam yn torri ar draws fy meddyliau.

"Sara Mai? Lle wyt ti?"

Mae Oli a finnau'n codi ac yn cerdded draw at Mam, sy'n sefyll o flaen y tŷ gyda'i ffôn bach yn ei llaw.

"O, haia Oli!" meddai Mam, gan edrych ar y ddau ohonon ni â golwg syn braidd ar ei hwyneb. "Wel, dewch i mewn, y ddau ohonoch chi. Mae gen i newyddion. Dwi newydd gael galwad ffôn ddiddorol iawn. Mi fydd ganddon ni aelod newydd yn nheulu'r sw yn fuan iawn."

Rydan ni'n dau yn sbio ar ein gilydd, cyn rhedeg i mewn i'r tŷ ar ôl Mam, yn torri ein boliau eisiau gwybod mwy.

PENNOD 4

Peithon a phen ôl

"Mam, ti ddim yn disgwyl babi, nag wyt?"

Ar ôl i Mam ddweud bod 'na aelod newydd ar y ffordd i deulu'r sw dyna'r peth cyntaf sy'n dod i fy meddwl i. Ac er bod cywion a babis anifeiliaid yn siwpyr ciwt, dwi ddim ffansi cael babi bach go iawn o gwmpas y lle. Sut fasa Mam yn cael amser i edrych ar ôl yr anifeiliaid i gyd wedyn?

Mae Mam yn taflu ei phen yn ôl gan chwerthin nes 'mod i'n gweld pob un o'i dannedd gwyn.

"Nadw Sara Mai, tydw i ddim yn disgwyl babi! Nid y math yna o aelod newydd dwi'n feddwl!"

Mae hi'n estyn ei chyfrifiadur ac yn ei osod ar y bwrdd, yna'n teipio rhywbeth cyn troi'r sgrin at Oli a finnau.

"Dyma'r aelod newydd. Peithon Albino Porffor."

Dim ond un centimetr sydd rhwng trwyn Oli a'r sgrin. Mae'n syllu'n geg agored, a finnau hefyd, a dweud y gwir.

"Waw."

"Ia, waw. Maen nhw'n brin iawn, iawn. Ac yn ddrudfawr hefyd. A dweud y gwir dyma un o'r nadroedd mwyaf drud yn y byd – petai rhywun am ei phrynu hi."

"Be, fel anifail anwes?" hola Oli heb dynnu ei lygaid oddi ar y sgrin.

"Ia, dyna'n union oedd hi i rywun rownd ffordd hyn, coeliwch neu beidio – anifail anwes. Ond yn amlwg roedd y gwaith o edrych ar ei hôl hi yn ormod i'r perchennog."

"Sut ti'n gwybod hynna, Mam?"

"Wel, wnewch chi ddim coelio hyn, ond yr RSPCA oedd ar y ffôn rŵan. Mae rhywun wedi ffeindio'r neidr... mewn toilet."

"TOILET?!" meddai Oli a fi fel tasan ni ar lwyfan Eisteddfod yr Urdd yn cydadrodd.

"Dwi wedi darllen am hyn a dweud y gwir," meddai Oli wedyn wrth edrych ar Mam. "Mae lot o bobl yn rhoi nadroedd i lawr y toilet ac yn fflysho'r dŵr i drio cael gwared arnyn nhw pan maen nhw'n methu edrych ar eu holau nhw. Yn does?"

"Oes, Oli. Ti'n iawn," meddai Mam. "Ac mae'r nadroedd yn licio llefydd cul a thywyll, ond mae'n beth ofnadwy o anghyfrifol i'w wneud."

"Felly ym mha doilet ddaeth rhywun o hyd i'r peithon yma? Peithon be oeddet ti'n ei galw hi, Mam?"

"Peithon Albino Porffor. Yn lle ei bod yn glaerwyn fel y mwyafrif o greaduriaid Albino, mae'r neidr yma'n troi'n rhyw liw porffor, fel welwch chi yn y llun. Ond ia, ym mha doilet, cwestiwn da. Coeliwch neu beidio, roedd y neidr yma yn nhoilet... eich prifathrawes!"

"BE?!"

Mae Mam yn chwerthin nes 'mod i'n dechra amau mai tynnu coes mae hi.

"Wir yr! Heb air o gelwydd! Mae'r RSPCA newydd ffonio i ddweud mai Mrs Daley ffoniodd nhw, mewn panig llwyr. Chwarae teg, wela i ddim bai arni hi. Faswn innau'n dychryn taswn i'n gweld hon wrth i mi fynd i bi-pi, a dwi'n geidwad sw! Mae'r RSPCA ar eu ffordd yma rŵan, efo'r neidr, felly rydan ni angen paratoi terariwm iddi. Dewch!"

Wrth i ni frasgamu ar ôl Mam mae Oli a finnau'n siarad fel dwy felin bupur, yn methu â chredu popeth mae Mam newydd ddweud wrthan ni. Un o'r nadroedd mwyaf prin yn y byd, yn nhoilet Mrs Daley! Ac ar ei ffordd yma rŵan hyn, i Sw Halibalŵ!

Roedd yr RSPCA wedi medru dal y neidr ac felly roedd Mam yn gwybod beth oedd ei hyd hi.

"Tua tair troedfedd, meddan nhw... felly tydi hi ddim yn fabi nac yn oedolyn eto, *teenager* ydi hi," meddai Mam wrth gerdded o un terariwm i'r llall yn trio ffeindio un y maint cywir.

"Fatha Seb," meddwn i, gan feddwl am eiliad faint mae Seb wedi newid yn y blynyddoedd diwethaf, ers iddo fo gyrraedd ei arddegau.

"Ia, fatha Seb," meddai Mam gan chwerthin. "Felly mae angen terariwm tua'r maint... yma!" Daeth i stop wrth un terariwm gwag.

"Reit, dwi angen eich help chi. Mae nadroedd yn hoffi cael brigau i'w dringo a dail i greu llecynnau bach mwy preifat iddyn nhw gael cuddio. Mae yna lwyth o bethau felly yn y storfa trwy'r drws yna. Ewch chi i ddewis pethau, plis, a'u gosod nhw yn y terariwm. Yna mi wna i osod y tymheredd cyn mynd i gwrdd â'r criw RSPCA."

Bu Oli a finnau wrthi yn brysur yn trio creu'r cartref perffaith ar gyfer y neidr. Roedden ni'n dau yn meddwl y byddai hi angen rhywle braf i ymlacio, ac i ddod dros y sioc o weld pen ôl Mrs Daley! Ac roedd Mam wedi mynd i gadw llygad am fan yr RSPCA.

Wrth i ni orffen ein gwaith dyma ni'n clywed sŵn lleisiau y tu allan i dŷ'r ymlusgiaid, ond dim ond Seb a Jasmine oedd yna.

"Waw, rydach chi wedi bod yn brysur!" meddai Jasmine, yn trio'n rhy galed eto. Pam bod rhaid i'r ddau yma ymddangos rŵan? Ro'n i wedi gobeithio mai dim ond Mam, Oli a fi fyddai yma i groesawu'r neidr newydd. A pham bod rhaid i Jasmine ddod yma trwy'r amser? Tydyn nhw ddim yn gweld digon ar ei gilydd trwy'r dydd yn yr ysgol?

"*So*, be ydi'r neidr 'ma?!" holodd Seb, a baglodd Oli a finnau ar draws ein gilydd i ddweud yr hanes. Ac wrth gyrraedd diwedd y stori, a Seb yn ei ddyblau'n chwerthin wrth glywed am Mrs Daley, daeth sŵn lleisiau eto, a'r tro hwn, yr RSPCA oedd yno go iawn.

"Dyma ni, mae'r terariwm yn barod ar ei gyfer o," meddai Mam, gan arwain dyn a dynes trwy dŷ'r ymlusgiaid.

"Fo? Neidr gwrywaidd ydi o, Mam?"

"Ia," meddai Mam, cyn troi at y ddau o'r RSPCA. "Sara Mai ydi hon, fy merch. Dwi'n meddwl ella ei bod hi'n licio anifeiliaid yn fwy nag unrhyw un dwi'n nabod."

"Wel, Sara Mai," meddai'r ddynes o'r RSPCA wrth wyro i lawr a gosod cawell fawr ar y llawr. "Mae'r neidr yma'n lwcus iawn, wedi cael ei achub ac yn cael dod yma i fyw atoch chi yn Sw Halibalŵ. Wyt ti am roi enw iddo fo? Mi fydd o angen enw."

Dwi'n edrych ar Mam ac mae hi'n gwenu ac yn codi ei haeliau. Fi sydd am gael enwi'r neidr go iawn, tybed?

Yna rydan ni'n gweld y neidr am y tro cynta, ac mae pob un ohonan ni'n ebychu yr un pryd.

"Waw!" Wrth i'r ddynes o'r RSPCA symud y neidr mewn un symudiad slic o'r cawell i'r terariwm rydan ni i gyd yn cael cyfle i weld ei gorff hir, cyhyrog, llyfn, sydd yn rhyw gyfuniad od o liw melyn a lliw porffor, a'i ddwy lygad fach frowngoch sydd fel marblis gloyw yn ei ben. Tydw i erioed wedi gweld dim byd tebyg iddo. Mae o'n edrych fel creadur o blaned arall.

"O mai god!" Dwi'n troi i weld Jasmine yn cuddio y tu ôl i Seb, ac yn gafael yn dynn yn ei siwmper, fel petai ofn am ei bywyd. Am lol wirion.

"Tydi peithons ddim yn beryg i bobl," esbonia Oli wrthi. "Tydyn nhw ddim yn wenwynig. Gwasgu eu hysglyfaeth maen nhw, nes bo' nhw'n methu anadlu ddim mwy. A wedyn yn eu bwyta nhw."

Mae'r gwaed yn llifo allan o wyneb Jasmine wrth i Oli ddweud hyn a dwi'n chwerthin dros

bob man, cyn troi fy sylw yn ôl at y neidr. Dwi eisiau i bawb fynd o 'ma i fi gael siarad efo fo yn iawn, a'i groesawu i Sw Halibalŵ.

"Be amdani 'ta, Sara Mai? Oes gen ti enw iddo fo?"

Dwi'n sbio ar Mam ac yna yn ôl ar y neidr. Mae'n fraint enfawr cael enwi anifail. Beth fyddai'n enw addas i greadur mor arbennig?

"Be am Albi?" meddai Jasmine, er bod neb wedi gofyn iddi hi. "Am ei fod o'n un albino?"

"Na, be am Schmeichel?" meddai Seb wedyn. "Fel Peter Schmeichel, gôl-geidwad gorau Man U erioed. Roedd ganddo fo wallt melyn, melyn!"

Ddywedodd Oli ddim byd; roedd o'n syllu ar y neidr fel petai rhywun wedi ei swyno.

Yna dwi'n sibrwd, "Nisien," wrth edrych trwy'r gwydr.

"Be?" meddai pawb, ond Oli.

"Nisien! Y brawd da o stori Branwen. Mae o'n enw da ar gyfer neidr, tydi, achos mae o'n swnio fel y sŵn mae neidr yn neud!"

"Wel, rwyt ti'n neidr lwcus iawn, Nisien,"

meddai'r ddynes o'r RSPCA, cyn codi a cherdded allan gan siarad efo Mam a'i chyd-weithiwr.

Dwi'n clywed Jasmine yn gofyn, "Be ydi stori Branwen?" wrth iddi hi a Seb gerdded allan i'r haul hefyd, wedi colli diddordeb erbyn hyn, ac mae Oli yn troi ataf i ac yn gwenu.

"Nisien. Perffaith." Ac rydan ni'n dau yn aros yna, yn cadw llygad ar ein ffrind newydd tan bod yr holl ymwelwyr wedi gadael y sw a bod Dad yn gweiddi nerth ei ben i ddweud bod swper yn barod.

Y prawf a'r paratoi

Y bore wedyn dwi yn nhŷ'r ymlusgiaid cyn bwyta fy mrecwast, yn ysu i weld Nisien eto. Mae 'nghalon i'n curo'n gyflym am eiliad gan 'mod i'n methu ei weld yn unman, ond yna dwi'n sylwi arno, wedi cyrlio'n gylch tyn yng nghornel bellaf y terariwm.

"Haia Nisien," dwi'n sibrwd, ddim eisiau ei ddychryn ond hefyd eisiau iddo ddod i fy adnabod. "Sara dwi. Sara Mai. Fi sydd wedi dy enwi di, gobeithio bo' chdi'n licio dy enw newydd. Tydan ni ddim yn gwybod be oedd dy enw di cynt am fod dy berchennog di wedi bod mor dan din yn trio dy fflysho di i lawr y toilet, yn lle edrych ar dy ôl di'n iawn."

Ar hyn mae Nisien yn codi ei ben y mymryn lleiaf erioed, a dwi'n siŵr ei fod o'n gwrando.

"Rwyt ti'n neidr arbennig iawn, 'sti. Wyt ti'n gwybod hynny?" Ar ôl i Dad ddod i mewn am y trydydd tro neithiwr i ddweud wrtha i am ddiffodd fy fflachlamp a mynd i gysgu, wnes i estyn y tabled a gwneud rhagor o waith ymchwil am y Peithon Albino Porffor ar y we.

Maen nhw'n brin iawn. Yn America mae'r rhan fwyaf ohonyn nhw, felly mae'n anhygoel bod yna un yma yng Nghymru! Ac maen nhw'n werthfawr iawn hefyd. Roedd yna stori am un oedd wedi cael ei werthu am bedwar deg mil o bunnoedd! Dwi ddim hyd yn oed yn siŵr faint o bres ydi hynna, ond mae o'n swnio fel lot fawr.

"Sara Mai! Brecwast!"

Dad sy'n gweiddi. Well i mi fynd neu mi fydd yna le yma.

"Wela i di wedyn, Nisien. Gobeithio gei di ddiwrnod da, tawel, heb weld yr un pen ôl!"

Dwi'n rhedeg yn ôl i'r tŷ ac yn eistedd wrth y bwrdd, gan helpu fy hun i damaid o dost a jam. Mae Dad a Mam wrthi'n siarad bymtheg y dwsin am y tri aelod newydd o staff sydd yn dod i'r sw. Roedd Dad wedi eu cyfweld nhw ddoe ac wedi edrych yn fanwl ar eu profiad yn trin anifeiliaid, ac roedd o'n hapus iawn iddyn nhw ddechrau gweithio yn y sw yn fuan. Felly roedd o a Mam yn trafod pryd fyddai ganddi hi, James a Zia amser i'w hyfforddi nhw. Ac er mai dim ond hanner gwrando ydw i, dwi'n clywed fy enw.

"Be? Be amdana i?"

"Mam sy'n meddwl y basat ti'n medru helpu i hyfforddi'r tri newydd," meddai Dad a'i aeliau yn uchel fel petai o'n meddwl bod hyn yn syniad gwirion.

"Wel, dim bob dim," meddai Mam, "ond fasat ti'n fodlon mynd â nhw o gwmpas a'u cyflwyno nhw i'r anifeiliaid a dweud tipyn am gymeriad pawb? Mae hynny'r un mor bwysig â gwybodaeth am ofalu amdanyn nhw a'u bwydo ac ati, ac rwyt ti'n nabod anifeiliaid y sw yn well na neb, bron."

"Gwnaf, siŵr! Dim probs. Diolch, Mam! Pryd maen nhw'n cychwyn?"

"Dydd Iau, felly mi gei di fynd â nhw o gwmpas dydd Sadwrn, os 'nei di. Iawn?"

Dwi'n dweud hyn i gyd wrth Oli ar ôl cyrraedd yr ysgol ac mae o'n gofyn tybed ga i gyflog am wneud. Doeddwn i ddim wedi meddwl am hynny! Ond wedyn mae o'n llawn cwestiynau am Nisien ac mae'r gloch yn canu mewn dim o dro.

Rhwng y cynnwrf efo Nisien a fy swydd newydd i, roeddwn i ac Oli wedi anghofio popeth am y prawf! Rydan ni'n edrych ar ein gilydd ar draws y dosbarth pan mae Mr Parri yn cerdded o gwmpas yn rhoi papur y prawf i bawb ac mae 'mol i'n troi fel peiriant golchi.

Ond gan fod Oli wedi dweud y stori mewn ffordd mor ddiddorol wrtha i, rydw i'n cofio'r manylion i gyd, ac yn medru ateb pob cwestiwn. Mae o'n deimlad braf a dweud y gwir, a dwi'n gwenu fel giât wrth i Mr Parri gasglu'r papurau cyn cinio.

★

"Pen ôl Mrs Daley?!" Mae Nia a Leila yn eu dagrau yn chwerthin pan dwi'n dweud y stori wrthyn nhw dros ginio.

"Go iawn? O mam bach," meddai Nia. "Mae'n

siŵr ei bod hi wedi sgrechian dros y lle. Fedri di ddychmygu? Aaa!"

Ac mae'r tair ohonan ni'n chwerthin nes bod ein boliau ni'n brifo wrth ddynwared Mrs Daley yn sgrechian, a dwi'n teimlo fel petai balŵn llawn aer cynnes, braf yn llenwi fy mol.

"Gawn ni ddod i weld Nisien, ti'n meddwl?" gofynnodd Leila. Er 'mod i dal yn drist weithiau wrth gofio am y pethau cas fuodd Leila yn dweud wrtha i, ac amdana i y tymor cynt, dwi'n trio anghofio a symud ymlaen. Mae hi'n glên efo fi erbyn hyn, a dwi'n gallu dweud ei bod hi wir eisiau gweld Nisien hefyd.

"Ydach chi isio dod draw dydd Sul?" dwi'n holi. "Dwi'n gweithio dydd Sadwrn. Mae yna dri person newydd yn dod i weithio i'r sw, felly ma Mam wedi gofyn i fi fynd â nhw o gwmpas y lle a'u cyflwyno nhw i bawb. Ond ydach chi isio dod dydd Sul?"

"Ia plis! 'Na i siarad efo Mam i ofyn a ga i golli'r wers gymnasteg am un wythnos," meddai Leila, cyn dechrau sôn am Harry Potter yn siarad Parseltongue efo nadroedd, a tybed fasa hi neu

Nia yn gallu gwneud, ond eu bod nhw erioed wedi sylwi o'r blaen am eu bod nhw heb gyfarfod neidr.

Dwi ddim yn dweud dim byd, ond dwi ddim yn meddwl bod angen gallu siarad Parseltongue i siarad efo nadroedd. Dwi ddim yn meddwl bod angen unrhyw iaith arbennig i siarad efo unrhyw anifail, a dweud y gwir. Ti jyst angen siarad efo nhw, ac mi fyddan nhw'n deall. Dyna sydd mor arbennig am anifeiliaid; maen nhw'n deall popeth. Maen nhw'n deall os wyt ti'n bod yn glên neu'n gas, yn hyderus neu'n swil, ac os wyt ti'n barod i helpu neu os wyt ti am wneud niwed iddyn nhw. Maen nhw jyst yn deall, fel y drudwy bach yn chwedl Branwen.

"Ocê, dydd Sul amdani," meddai Nia, wrth gau ei bocs bwyd pan mae'r gloch yn canu.

Wrth gerdded trwy giatiau'r sw ar ôl yr ysgol dwi'n gweld Zia wrth ymyl lloc y pademelon, felly dwi'n mynd draw i ddweud helô.

"Iawn, blod?" meddai Zia, gan gnoi Polo mint. Tydw i erioed wedi ei gweld hi heb baced o bolo mints yn ei phoced.

"Haia! Sut mae Siw, Miw a Cyw heddiw?" dwi'n holi wrth blygu i chwilio am y cywion pademelon.

"*Cute as ever*!" meddai Zia wrth bwyntio draw at un sy'n cuddio y tu ôl i foncyff pren yn y lloc. "Ond dwi *so* ddim yn gallu dweud pa un ydi pa un!"

"Nag wyt? Sbia. Siw ydi honna efo smotyn bach gwyn tu ôl i'w chlust chwith." Yna dwi'n gweld y ddwy fach arall. "A dyna hi Cyw yn fan'na, ti'n gweld, mae hi'n sboncio mewn ffordd ychydig bach yn wahanol i'r lleill, fel tasa hi'n llusgo ei chynffon fwy. A wedyn dyna Miw. Mae ganddi hi flew mwy fflwfflyd rywsut, ac mae hi'n licio aros yn agos at ei mam."

Mae Zia yn edrych yn ofalus ar y pademelon ac wedyn yn ôl arna i.

"Ti'n *quite something*, ti'n gwybod hynny, Sara Mai?! Hei, wnes i glywed am y neidr! *Amazing* 'ta be? Mae'n edrych yn cŵl, dydi? A enw *snazzy* hefyd. Lle gest ti'r enw yna?"

A dwi'n dweud stori Branwen wrth Zia. Mae ei llygaid hi fel dwy soser erbyn i mi orffen.

"Waw. Mae'r stori yna yn *weird*. Pam bo' nhw'n dysgu stwff fel'na i chi yn yr ysgol?"

Dwi'n chwerthin wrth dderbyn Polo mint arall. Mae Zia mor wahanol i bob oedolyn arall dwi'n nabod. Mae ei gwallt oren, oren yn sgleinio yn yr haul, a fedra i weld hanner y tatŵ o chwilen ddu sydd ganddi ar gefn ei gwddw yn dangos uwchben coler ei chrys-t.

Yn sydyn rydan ni'n clywed sŵn chwerthin uchel, ac mae'r ddwy ohonan ni'n edrych draw at lloc Llywelyn Fawr lle mae Seb a Jasmine yn cosi ei gilydd.

"Ych a fi," medda fi, gan actio fel taswn i'n taflu fyny.

"Be sy, *babe*?" meddai Zia, wrth droi i edrych arna i.

"Tywysoges Jasmine, 'de! Mae hi yma trwy'r amser. Mae o fatha bod hi a Seb yn hollol sownd yn ei gilydd. A tydi hi jyst ddim i fod mewn sw."

"E? Pam ddim?"

"Efo'r gwinedd hir, ffug 'na, a llond wyneb o golur. Mae hi ofn cael mwd ar ei welingtons, hyd yn oed! Mi fasa'n well iddi hi gael cariad sy'n byw mewn salon nag un sy'n byw mewn sw."

Mae Zia yn sbio arna i ac am eiliad dwi'n teimlo fatha tasa hi'n gallu gweld reit i mewn i 'mhen i.

"Mae hi'n neud Seb yn hapus, dydi?" ydi'r cwbl mae Zia'n ei ddweud, cyn mynd draw at griw o blant i ddweud wrthyn nhw am beidio herio'r mwncïod drwy chwifio bananas.

Dwi'n penderfynu mynd i weld Nisien, ac yna i baratoi at ddydd Sadwrn. Mae o'n gyfrifoldeb mawr i ddysgu tri aelod newydd o staff am y sw. Mae gen i waith i'w wneud!

Pobl newydd, pop a pitsa

Erbyn dydd Sadwrn, dwi'n barod. Mae Mali'r Milfeddyg wastad yn dweud bod angen cymaint o wybodaeth â phosib am anifeiliaid er mwyn gofalu amdanyn nhw'n iawn, felly dwi wedi bod yn paratoi pamffled yr un ar gyfer y tri aelod newydd o staff. Mae'r pamffledi yn llawn dop o wybodaeth am holl anifeiliaid y sw; mae'n sôn am eu harferion, y pethau maen nhw'n hoffi, ac yn bwysicach na dim, y pethau maen nhw'n eu hofni.

Mae'r tri pherson newydd wedi bod yma dydd Iau a ddoe yn barod yn cyfarfod Mam, Dad, Zia a James ac yn cael cyflwyniad cyffredinol i'r sw, ond roedden nhw wedi mynd erbyn i fi gyrraedd adref o'r ysgol, felly tydw i heb eu gweld nhw. Mae fy mol i'n troi braidd, a dweud y gwir. Mae pawb yn dweud eu bod nhw'n grêt, ond beth os fydda i ddim yn eu licio nhw? Be os fydd yr anifeiliaid ddim yn eu licio nhw?

Dwi'n cyfarfod y tri am un ar ddeg o'r gloch, felly cyn hynny dwi'n picio draw at Nisien i weld sut mae o'n setlo. Ond dwi'n cael siom wrth gyrraedd o weld bod Seb a Jasmine a dau o ffrindiau Seb yno yn barod – y ddau epa.

"Haia, Sara Mai!" meddai Jasmine, fel tasan ni'n ffrindiau gorau. Mae'r tri arall yn troi i edrych arna i, felly dwi'n cerdded draw.

"Tydach chi ddim i fod yn rhy agos at y terariwm, neu fyddwch chi'n dychryn Nisien."

"NI? Yn ei ddychryn O?! *As if*!" meddai 'epa' rhif un.

"Na, mae Sara'n iawn 'sti, Steff," meddai Seb, gan gytuno efo fi am unwaith. "Tydi nadroedd ddim wir yn licio pobl. Dim ond pan maen nhw wedi dychryn maen nhw'n ymosod ar bobl."

"Cŵŵŵŵl," meddai'r 'epa' arall, â'i lygaid wedi eu hoelio ar y neidr.

"Mae hi'n neidr werthfawr 'sti, Sam," meddai Jasmine yn sydyn, fel tasa hi'n gwybod popeth am nadroedd.

Ond mae'r ail 'epa', sef Sam yn ôl pob golwg, yn dal i syllu ar Nisien.

"Yndi?" meddai Steff, wrth droi i wrando.

"Yndi, *loads*. Maen nhw'n brin iawn 'sti. Neidr albino ydi hi."

Mae Jasmine yn troi i edrych arna i wedyn, i weld a ydw i'n llawn edmygedd, dwi'n meddwl, am ei bod hi'n cofio ffeithiau am Nisien. Tydw i ddim. Mae unrhyw un yn gallu cofio ffeithiau!

Mae Steff a Seb yn symud ymlaen i sbio ar y nadroedd eraill ond mae Jasmine a Sam yn dal i syllu ar Nisien.

"Seb, cofia bo' chdi'n gorfod helpu Zia efo sioe'r morloi nes ymlaen, iawn?" medda fi wrth droi i adael.

"Ha-ha, pwy ydi hon, dy fam di 'ta dy chwaer di?!" meddai Steff wrth Seb, ond dwi'n gadael cyn clywed ateb Seb. Mae eisiau amynedd efo *teenagers*.

Mae Mam a Dad wedi mynd i Gaer heddiw, a

fyddan nhw ddim yn ôl tan bore fory. Dwi wir ddim yn cofio'r tro diwethaf iddyn nhw adael y sw, ond mae Dad wedi swnian ar Mam i fynd efo fo i Gaer i chwilio am soffa newydd, a wedyn maen nhw am fynd am dro a ballu, mynd am swper neis ac aros mewn gwesty. Dwi'n meddwl bod Dad yn gweld eisiau Mam weithiau, am ei bod hi'n gweithio gymaint.

Felly, James a Zia sydd wrth y llyw heddiw. Ro'n i wedi gobeithio y basan ni'n cael aros adref ar ben ein hunain ond mae Zia am aros acw heno, i 'gadw llygad arnan ni' meddai Dad. Mi wnes i ddweud fwy nag unwaith 'mod i'n ddigon hen i aros adra ar ben fy hun, ond go iawn dwi'n edrych ymlaen i gael Zia'n aros efo ni.

Wrth adael Seb, y dywysoges a'r ddau epa, a cherdded am y dderbynfa lle dwi'n cyfarfod y tri aelod newydd o staff, dwi'n eu gweld nhw cyn iddyn nhw fy ngweld i, ac felly'n cael munud neu ddau i edrych arnyn nhw.

Roeddwn i wedi darllen eu ceisiadau swydd yn barod, ar ôl eu ffeindio nhw ar ddesg Dad, felly ro'n i'n gallu dweud pwy oedd pwy.

Alys ydi honna; efo plethen hir felen a bag ar ei chefn, yn edrych fel petai hi'n barod am unrhyw antur. Dwi'n meddwl y bydd hi'n un dda. Mae hi wedi gweithio mewn sw o'r blaen ac mae ganddi lot o brofiad efo pob math o anifeiliaid.

Mae'n amlwg pa un ydi Liam. Mae o'n dod o Tsieina, a'i enw iawn o ydi Li Weijun, ond ers iddo ddod i Brifysgol Bangor i astudio Swoleg mae pawb yn ei alw'n Liam. Mae o yma ers deg mlynedd ac wedi dysgu siarad Cymraeg yn reit dda. Ymlusgiaid ydi ei arbenigedd o; tan rŵan mae o wedi bod yn gweithio mewn canolfan arddio fawr oedd ag adran ymlusgiaid ynddi.

A'r olaf ydi Pete. Mae o'n edrych ychydig bach ar goll, a dweud y gwir. Mae o'n gwisgo crys smart, trowsus taclus a sgidiau brown smart, fel y rhai mae Dad yn gwisgo i fynd i'w waith! Yn ei gais esboniodd fod ei deulu'n dod o Gymru ond ei fod o wedi cael ei fagu yn Llundain, ond rŵan mae o eisiau byw yng Nghymru am dipyn. Yn bersonol doeddwn i ddim yn meddwl fod ganddo ddigon o brofiad, dim ond wedi gweithio ar dderbynfa sw mae o o'r blaen, ond roedd Dad

61

yn dweud y byddai'n gallu helpu lot efo'r gwaith papur.

Wrth weld Alys yn edrych ar ei horiawr dwi'n sylwi 'mod i'n hwyr, felly dwi'n neidio allan o fy nghuddfan ac yn brysio draw atyn nhw.

"Ym, helô. Sara dwi. Sara Mai. Croeso i Sw Halibalŵ."

Mae'r tri yn edrych arna i a dwi eisiau i'r llawr fy llyncu i. Mae mor anodd cyfarfod pobl newydd. Mae cyfarfod anifeiliaid newydd gymaint haws. Dwi'n tynnu'r pamffledi allan o fy mag ac yn pasio un bob un i'r tri, gan wneud yn siŵr fod pawb wedi cael yr un cywir. Dwi wedi rhoi ychydig o eiriau Saesneg yn un Liam, i wneud yn siŵr fod o'n deall popeth.

"Haia, neis i gwrdd â ti!" meddai Alys, efo gwên sy'n llenwi ei hwyneb.

Mae Liam yn estyn ei law allan yn ffurfiol ac yn gwyro ei ben fymryn pan dwi'n ysgwyd ei law. "Sut mae, Sara Mai? Liam ydw i."

Ac yn olaf mae Pete yn dweud helô hefyd, ac yn chwifio ei law yn ddoniol wrth ochr ei ben. Efallai ei fod o'n nerfus hefyd.

Yn un o lyfrau Mali'r Milfeddyg mae hi'n sôn am gogio bod yn hyderus. Os ydych chi'n dod ar draws anifail – arth, er enghraifft – weithiau y peth gorau i'w wneud ydi cogio bod yn hyderus, siarad mewn llais arferol, peidio rhuthro oddi yno na gweiddi, dim ond cario mlaen fel tasa pob dim yn iawn, er bod eich coesau chi fel jeli. Felly dwi'n trio gwneud hynna; yn cadw fy llais yn normal ac yn cofio bod Mam wedi ymddiried yndda i, felly bod rhaid i mi wneud joban dda.

"Reit, os dewch chi ffordd hyn, os gwelwch yn dda," a dwi'n eu harwain nhw yn gyntaf at lloc Llywelyn Fawr.

"Os edrychwch chi ar dudalen gyntaf eich pamffled fe welwch chi lun o Llywelyn Fawr. Arth yr Andes ydi Llywelyn Fawr. Mae'r math yma o arth yn byw ym mynyddoedd yr Andes yn Ne America, ond maen nhw'n cael eu hela, a'u cartrefi yn cael eu difrodi, felly mae angen eu gwarchod.

"Dim ond ers ychydig fisoedd mae o yma, felly mae o dal i fod ychydig bach yn swil ond mae o'n dechra setlo. Weithiau, os ydi o'n flin, mi fydd yn sefyll ar ei goesau ôl ac yn rhuo! Ond ar y cyfan mae o wedi setlo ac yn hapus yma. Mae o'n gwneud lot o bw, felly mae angen glanhau'r lloc yn amlach na'r disgwyl."

Mae Alys yn edrych ar Llywelyn Fawr yn dawel, mae Pete yn edrych ar y bamffled, ac mae Liam yn moesymgrymu ychydig bach, bach ac yn dweud, "Sut mae, Llywelyn fawr? Liam ydw i." Ac er bod ambell berson o'n cwmpas ni yn crechwenu ac yn piffian chwerthin, dwi'n penderfynu 'mod i'n licio Liam yn barod.

Mae'r oriau yn pasio wrth i mi fynd â'r tri o gwmpas holl anifeiliaid y sw fesul un, gan ddweud popeth sydd yna i'w wybod am bob un. Ac wrth i'r diwrnod fynd yn ei flaen mae'r tri yn holi cwestiynau, yn rhannu hanesion am rai o'r anifeiliaid yn y llefydd maen nhw wedi gweithio o'r blaen, ac yn dangos diddordeb mawr. Ac erbyn i ni gyrraedd ein stop olaf, sef tŷ'r ymlusgiaid, dwi'n dechrau meddwl mai Dad oedd yn iawn, ac y bydd yn beth da i ni gael mwy o staff yma.

"Ac yn olaf, dyma'r anifail mwyaf diweddar i gyrraedd y sw… Nisien y neidr!"

Does dim arwydd wrth ymyl terariwm Nisien eto – mi fydd yn rhaid i mi gofio dweud wrth Mam fod angen un.

Mae'r tri yn craffu i mewn i'r terariwm, yn enwedig Liam. Mae o'n plygu ymlaen ac ar ôl cyflwyno ei hun i Nisien mae'n troi ata i ac yn gofyn,

"Lavender Albino Python? Sori, tydw i ddim yn gwybod yr enw Cymraeg."

"Ia!" dwi'n ddweud wrtho. "Ddaeth yr RSPCA â fo yma. Roedd ei gyn-berchennog wedi ceisio ei fflysho lawr y toilet!"

"Waw," meddai Liam, gan graffu eto. "Mae'n fraint. Mae'n bleser. Maen nhw mor brin. Am arbennig." Ac mae Alys a Pete a finnau'n dal llygaid ein gilydd ac yn gwenu wrth wylio Liam yn gwylio Nisien. Mae'n amlwg mai arbenigwr ymlusgiaid ydi hwn!

Ar ôl ffarwelio efo'r tri dwi'n cerdded draw at James a Zia sydd wrthi'n cau'r dderbynfa.

"Wel?" holodd James gan edrych arna i. "Beth yw'r *verdict*, Sara Mai? Bois iawn, on'd y'n nhw?"

Dwi'n oedi am eiliad cyn ateb, ond yndw,

dwi'n cytuno, ac yn methu peidio gwenu wrth ateb.

"Yndyn, maen nhw i weld yn iawn. Yn enwedig Liam."

"Ro'n i'n gwbod byddet ti'n lico fe!" meddai James gan chwerthin dan ei het.

"Be *ti*'n feddwl, Zia?" dwi'n holi wrth weld Zia yn cloi'r til yn ofalus.

"O, maen nhw'n bril, blod! *Fair play*. Bach yn *weird* ella, ond bril."

Dwi a James yn chwerthin dros bob man wrth glywed Zia yn galw rhywun arall yn *weird*.

"O, ti'n gwbod be dwi'n feddwl. *Characters*, yndê? Ond ella bod ti angen bod yn reit ryfedd i weithio yn y lle yma a dweud y gwir! C'mon, amsar swpar. Sut mae pitsa'n swnio? James, ti am joinio ni? Dwi am fynd i dre i nôl rhai tecawê efo Sara."

"Ym, nagw, jolch am y cynnig, ond ma cynllunie 'da fi."

"Iawn, dy golled di!" meddai Zia. Cyn troi ata i a gofyn, "Ble mae Seb? Ydi o a Jasmine efo ni heno?"

"Gobeithio ddim," meddwn i. Ond wrth i Zia droi ata i â chwestiwn yn ei llygaid dwi'n ychwanegu, "mwy o bitsa i ni 'de!"

Ond dwi bron â cholli fy awydd bwyd wrth i ni gerdded i mewn i'r tŷ a gweld Seb a Jasmine yn cusanu ar y soffa. Maen nhw'n stopio'n sydyn wrth ein gweld ni, ac mae Jasmine yn giglo fel hogan fach.

"Iawn, bawb? Amser pitsa!" meddai Zia wrth estyn y bocsys pitsa poeth a'r caniau pop oer a'u gosod nhw ar ganol y bwrdd.

"Gawn ni ffilm ar ôl swper, ia? Ac mae yna *strict no-snogging policy* yn y sinema yma, iawn?!" Ac mae Zia'n wincio arna i tra bod Seb a Jasmine yn cochi at eu clustiau.

PENNOD 7

Y lladrad

Ar ôl noson o sglaffio gormod o bitsa, a gwylio dwy ffilm un ar ôl y llall, ro'n i wedi blino'n lân, felly ro'n i'n dal i gysgu pan glywais i'r sŵn gweiddi y bore wedyn.

Roedd y cwsg fel triog du, a'n llygaid i ddim eisiau agor, ond ro'n i'n gallu dweud bod rhywbeth o'i le. James oedd yn gweiddi?

Dyma lusgo fy hun allan o'r gwely ac i mewn i hen dop a dyngarîs, cyn gwthio fy nhraed i mewn i welingtons a rhedeg allan i gyfeiriad y sŵn. Ar y ffordd yno, pwy welais i ond Oli.

"Oli!" medda fi wrtho fo. "Be ti'n neud yma?"

"Neis dy weld di hefyd!" atebodd yn swta.

"Na, sori, dim felly, jyst ddim yn disgwyl dy weld di o'n i!" medda fi.

"O'n i jyst awydd gweld Nisien, felly meddwl

'swn i'n dod am dro. Ar fy ffor yna dwi rŵan. Pam ti'n rhedeg?"

"Clywed rhywun yn…"

Ac ar hynny dyma Zia'n rhedeg heibio i ni, ei gwallt hir oren llachar yn chwifio fel barcud y tu ôl iddi. Dwi'n troi i edrych ar Oli. Mae rhywbeth mawr yn bod. A heb ddweud gair mae'r ddau ohonan ni'n dechrau rhedeg ar ôl Zia, i gyfeiriad tŷ'r ymlusgiaid.

Er ei fod o'n wirion, y peth cynta dwi'n sylwi arno ydi fod James wedi tynnu ei het. Anaml iawn mae James yn tynnu ei het, felly dwi'n synnu wrth weld ei gyrls mawr brown fel mwng llew o amgylch ei ben. Ond dwi'n sylwi fod ei het yn ei ddwylo a'i fod o'n ei gwasgu hi'n galed, ac yna dwi'n gweld be sy'n bod.

"Nisien! Ble mae Nisien?"

Mae caead y terariwm ar agor a does dim golwg o'r neidr yn unman.

"James?" meddai Zia ac Oli a fi.

"Dyw e ddim 'ma," meddai James, ei lais yn dawel. "Des i i tsieco ar y nadroedd ac o'n i'n credu bod e'n cwato, ma fe'n dda am gwato, ond smo fe 'ma. Ma fe wedi mynd."

"MYND?" Dwi'n methu coelio fy nghlustiau. "Be ti'n feddwl, mynd? Mynd i ble?"

Mae Zia'n dechrau cerdded yn ôl ac ymlaen yn wyllt.

"Ydi'r lleill i gyd yma? Dim ond Nisien sydd ar goll?"

"Ie, dwi wedi tsieco. Mae'r lleill i gyd 'ma."

"Ooo, Nisien," meddai Oli yn dawel, ac rydan ni'n dau yn edrych ar ein gilydd.

"Reit, mae'n rhaid i ni gau'r sw," meddai Zia yn awdurdodol. "Mae o yma yn rhywle a tydan ni ddim isio neb yn ei ddychryn o, nac iddo fo ddychryn neb. *Oh god, I can see the headlines now. Snake on the loose in local zoo!*"

Ac mae hi ar fin rhoi neges ar y *walkie talkie* i ddweud wrth bawb bod y sw yn cau pan mae James yn torri ar ei thraws.

"Smo fe 'di dianc, Zia."

Mae'r tri ohonan ni'n troi i edrych arno.

"Ddes i 'ma peth dwetha ddoe i tsieco fod popeth dan glo. Smo fe wedi dianc. Ma rhywun wedi ei ddwgyd e."

Weithiau dwi wir ddim yn deall rhai o'r geiriau

mae James yn dweud; er eu bod nhw'n Gymraeg maen nhw'n swnio fel iaith arall.

"Dwgyd? Be ydi 'dwgyd'?"

A dyna pryd mae Zia yn sibrwd, "Dwyn", ac am hanner eiliad mae fy nghalon i'n arafu a 'ngwaed i'n oeri a dwi'n teimlo fel taswn i'n un o'r ymlusgiaid hefyd.

"Mae'n rhaid i ni ffono'r heddlu."

Mae James, Zia, Oli a fi yn sbio ar ein gilydd. Pwy fasa wedi dwyn Nisien? A phwy sydd am ddweud wrth Mam?

Awr yn ddiweddarach mae'r sw wedi cau, mae'r heddlu wedi cyrraedd, ac mae Mam a Dad ar fin cyrraedd adref. Mae Zia wedi'u ffonio nhw i ddweud, felly maen nhw'n gwybod yn barod. Wnes i ddim gofyn iddi beth ddywedodd Mam. Dwi ofn clywed yr ateb.

Mae 'mol i'n teimlo fel petai rheinoseros enfawr wedi dod ac eistedd arno. Pwy fyddai eisiau dwyn, Nisien? Pwy fyddai'n gallu gwneud y ffasiwn beth?

Mae'r heddlu wedi holi James a Zia, ond does neb wedi fy holi i eto. Dwi'n aros fy nhro ond tydi'r heddlu dal ddim yn dod ata i.

"Ydach chi isio fy holi i?" dwi'n gofyn iddyn nhw yn y diwedd, ar ôl aros ac aros.

"Pam, wyt ti'n gwybod ble mae'r neidr?" meddai'r heddwas tal, efo wyneb tarw blin.

"Wel, nac ydw, ond mi fedra i ddweud be ddigwyddodd yn y sw ddoe a..."

"Rydan ni wedi cael yr holl wybodaeth 'dan ni angen gan y ddau yma, diolch," medda fo wrth bwyntio at Zia a James. "Llonydd ac amser rydan ni angen rŵan i gael bwrw mlaen efo'r ymchwiliad."

"Ia, ond, sut ydach chi am ymchwilio? Ydach chi am gael heddlu arbenigol i edrych yn y terariwm am gliwiau? Ydach chi am holi pob un person fuodd yma ddoe? Ydych chi am edrych os oes olion bysedd ar y terariwm? Neu beth am..."

Mae'r heddwas yn edrych i lawr ei drwyn arna i ac yn dweud, "Fel ddwedes i... LLONYDD ac amser rydan ni angen. Diolch am dy help." A gyda hynny dyma fo'n cau ei lyfr nodiadau ac yn rhoi ei feiro yn ôl yn ei boced.

Hy! Fedra i ddim coelio fy nghlustiau. Dwi'n estyn fy ffôn ac yn cerdded i ffwrdd. Rydw i wedi creu grŵp negeseuon gyda Oli, Nia a Leila ynddo fo. Roedd yn rhaid i Oli fynd adref ar ôl i'r heddlu gyrraedd, ond mi fynnodd 'mod i'n gaddo y baswn i'n gadael iddo wybod beth fyddai'r heddlu'n dweud. Roedd Nia a Leila i fod i ddod draw heddiw i weld Nisien, felly roeddwn i wedi cysylltu efo nhw i ddweud beth oedd wedi digwydd.

Dyma fi'n cerdded draw at lloc Llywelyn Fawr. Roedd o'n eistedd yn dawel wrth ymyl y ffens, fel petai wedi bod yn aros amdana i.

"Be wnawn ni, Llywelyn?" Mae o'n edrych arna i am hir, fel petai o'n trio dweud rhywbeth. "Welest ti rywbeth? Wyt ti'n gwybod ble mae Nisien?" Ond mae Llywelyn yn codi ac yn cerdded draw at y goeden cyn dechrau crafu'r rhisgl a dwi'n rhuo'n rhwystredig. Dwi'n anfon neges arall at y lleill.

> Fedrwn ni ddim dibynnu ar yr heddlu. Mi fydd yn rhaid i ni ddatrys y dirgelwch yma ein hunain. Cyfarfod 1af – amser chwarae bore fory. Cyfarfod wrth y goeden fawr ar y cae. Peidiwch â bod yn hwyr.

Ymhen pum munud mae'r tri wedi ateb gyda bawd i fyny, ac mae Nia a Leila wedi gofyn llwyth o gwestiynau, ond fedra i ddim ateb. Yr un cwestiynau sy'n troi a throi yn fy meddwl i, a does gen i ddim atebion.

Dwi'n diffodd fy ffôn ac yn penderfynu cerdded o amgylch y sw i drio clirio fy mhen. Mae 'mol i'n glymau i gyd a dwi eisiau gweiddi. Fedra i ddim coelio bod rhywun wedi dwyn Nisien, o dan ein trwynau ni! Mae rhywun yn amlwg wedi torri i mewn neithiwr, a'i ddwyn o. Ond pwy? A sut? A pham?

Dwi'n dychmygu rhywun mewn dillad du yn sleifio o gwmpas y sw yn y gwyll tra 'mod i a Zia a Seb a Jasmine yn bwyta pitsa ac yn chwerthin wrth wylio ffilm. Pam na faswn i wedi clywed rhywbeth? Pam na faswn i wedi tsiecio'r anifeiliaid i gyd unwaith eto gan fod Mam ddim yma i wneud?

Mae fy mhen i'n troi ac yn sydyn dwi'n gwybod be dwi angen. Nodiadur fy hun, fel yr heddwas, i ddechrau casglu a nodi syniadau. Dyna'n union fyddai Mali'r Milfeddyg yn ei wneud.

Mae Mali'r Milfeddyg yn aml yn gorfod delio â sefyllfaoedd fel hyn, a'i chyngor hi bob amser ydi pwyllo a meddwl am y ffeithiau. Ia, pwyllo, a meddwl am y ffeithiau. Felly dwi'n rhedeg â 'ngwynt yn fy nwrn yr holl ffordd yn ôl am tŷ ni. Yn y pellter dwi'n gweld car Mam a Dad yn troi i mewn i'r sw, ond dwi'n penderfynu gadael i James a Zia esbonio popeth iddyn nhw. Fedra i ddim wynebu Mam eto. Dwi'n teimlo'n rhy euog. Y noson gyntaf iddi adael y sw ers oes pys ac mae hyn yn digwydd.

Fy mai i ydi hyn. Faswn i wedi gallu stopio hyn rhag digwydd, felly mae'n rhaid i fi ddatrys y dirgelwch, a ffeindio Nisien, a dod â fo'n ôl yn saff i'r sw.

Dwi'n agor drws y tŷ a dyna lle mae Seb a Jasmine, y ddau yn sefyll yn sbio ar ei gilydd naill ochr i fwrdd y gegin a hoel crio ar wyneb Jasmine.

"Be sy?" dwi'n gofyn wrth edrych arnyn nhw, ac mae Jasmine yn sychu ei hwyneb yn sydyn.

"Dim byd, Sara Mai, paid â busnesu," meddai Seb, yn sbio ar ei draed.

"Ydi hyn rwbath i neud efo Nisien?"

"Blydi hel, Sara Mai. Nadi! Tydi bob dim ddim i neud efo chdi a dy anifeiliaid gwirion, ocê?!"

Ac wrth glywed geiriau Seb mae'r rheinoseros yn stampio ar fy stumog i.

"Tydi'r anifeiliaid ddim yn wirion! Maen nhw lot callach na *teenagers* stiwpid fatha chdi a'r dywysoges Jasmine!" Dwi'n poeri'r geiriau heb feddwl, ac mae Jasmine yn edrych arna i, a'i llygaid yn llenwi efo dagrau eto.

Fedra i ddim dioddef dim mwy, felly dwi'n brasgamu i fyny'r grisiau ddau ris ar y tro, yn cau drws fy stafell gyda chlep ac yn cuddio yn fy mhabell. Dwi'n tyrchu o gwmpas am lyfr nodiadau ac yn croesi'r ysgrifen sydd ar y tu blaen ac yn sgwennu DIRGELWCH DIFLANIAD NISIEN yn fawr arno.

Wedyn dwi'n sychu'r dagrau sy'n llifo i lawr fy mochau, yn dewis tudalen lân, yn gafael yn fy meiro, ac yn dechrau meddwl o ddifri.

Pwy fyddai eisiau dwyn Nisien? A pham?

Amheuon

Mae'r bore'n llusgo'n fel malwen dew. Dwi'n rwbio fy llygaid wrth edrych ar y cloc a thrio gwneud i'r bysedd symud yn gynt. Ges i drafferth cysgu neithiwr; roedd fy mhen i'n troi a throi wrth i mi feddwl am y cliwiau sydd ganddon ni i ddatrys dirgelwch diflaniad Nisien. Ac ro'n i'n teimlo'n sâl ar ôl ffraeo efo Seb hefyd. Weles i mohono fo na'r dywysoges Jasmine ar ôl y gweiddi mawr.

Ar ôl awr o drio gwneud symiau mae fy llygaid i'n llosgi a dwi wedi dylyfu gên un deg naw o weithiau. Dwi mor falch pan mae Mr Parri yn agor y drws o'r diwedd i ni fynd allan am egwyl.

"Ocê, pawb i eistedd," dwi'n gorchymyn wrth y tri 'ditectif' arall.

Mae'n ddiwrnod poeth arall ac rydan ni'n eistedd

yng nghysgod y goeden dderwen fawr, ym mhen pella cae'r ysgol. Dwi'n licio'r gornel yma – mae yna bob amser lot o drychfilod diddorol o gwmpas bonyn y goeden, ac mae'r ffens y tu ôl i'r goeden wedi sigo, felly mae'r ŵyn bach yn y cae drws nesaf yn dod draw i bori yn y cae trwy'r ffens weithiau.

Mae Oli, Nia a Leila yn eistedd ar eu hunion ac yn edrych arna i'n eiddgar, ac yn sydyn dwi'n teimlo fel Mr Parri ar fin rhoi gwers i Blwyddyn 5. Pwnc heddiw ydi dirgelwch Nisien. Dwi'n estyn fy nodiadur ac yn clirio fy llwnc cyn dechrau siarad.

"Reit. Dwi wedi bod yn meddwl a meddwl, a dyma'r ffeithiau sydd ganddon ni." Mae llygaid y tri wedi eu hoelio arna i wrth i mi ddechrau rhestru. "Mae tri person newydd wedi dechrau gweithio yn y sw yr wythnos hon. Liam, Alys a Pete. Yn amlwg, mae Mam a Dad wedi gwneud popeth o fewn eu gallu i wneud yn siŵr eu bod nhw'n bobl dda ac yn bobl y gallwn ni ymddiried ynddyn nhw i weithio yn y sw, ond mae'n bosib iawn mae un ohonyn nhw sydd wedi dwyn Nisien. Nhw ydi'r tri enw ar dop fy rhestr."

Dwi'n mynd yn fy mlaen i restru popeth dwi'n ei wybod am y tri ohonyn nhw.

"Felly, dwi'n cymryd mai Liam ydi'r prif *suspect*?" meddai Oli, ar ôl i mi orffen, gan ddefnyddio'r gair mae o wedi'i glywed ar y cyfresi teledu ditectif mae ei fam yn eu gwylio. "Gan ei fod o'n arbenigwr ar ymlusgiaid, ia? Fo fyddai'n gwybod orau sut i ddwyn neidr brin, a'i gwerthu hi?"

Mae 'mol i'n gwasgu dan bwysau'r rheinoseros wrth glywed ei gwestiwn. Ydi, mae hynny'n gwneud synnwyr, ond ro'n i wir wedi cymryd at Liam ar ôl ei gyfarfod. Ro'n i'n licio ei barch at yr anifeiliaid, ac roedd yn anodd coelio y byddai o'n gwneud rhywbeth fel hyn, ond mae Oli yn iawn; Liam ydi'r arbenigwr ar ymlusgiaid.

"Ia, fo ydi'n prif *suspect* ni. Wedyn Pete ac Alys."

"Pete? Yr un od? Sy'n gwisgo siwt i weithio mewn sw?" holodd Oli wedyn. "A dweud y gwir, Sara, tydi o ddim yn swnio fel rhywun fyddai'n dwyn neidr. Tydi o ddim yn swnio fel rhywun fyddai'n gallu dwyn brechdan jam!"

Dwi'n meddwl am Pete yn gwenu'n swil ac yn

baglu siarad yn ei acen Gymraeg-Llundain. Na, tydi o ddim yn edrych fel lleidr, ond dyna ydi'r peth; tydi hi ddim wastad yn bosib dweud sut bobl ydyn nhw wrth edrych a siarad efo nhw. Dyna pam mae'n well gen i anifeiliaid na phobl; tydi anifeiliaid ddim yn slei, tydyn nhw ddim yn medru cuddio eu natur go iawn na dweud celwydd. Ond mae rhai pobl yn dda am wneud hynny.

"Ac Alys, roeddet ti'n swnio fel tasat ti'n licio hi," meddai Nia wedyn. "Ti wedi gwneud iddi swnio fel Lara Croft o *Tomb Raider*! Yn barod am unrhyw beth ac yn wybodus iawn am yr anifeiliaid."

Dwi'n dechrau colli amynedd. Ro'n i wedi gobeithio y byddai Nia, Leila ac Oli yn barod i helpu ond, hyd yn hyn, doedd yr un o'r tri yn dangos unrhyw arwyddion o fod yn dditectifs gwerth eu halen.

"Wel, ia, mi *o'n* i'n licio hi, ond fydda i ddim os ydi hi wedi dwyn Nisien! Gwrandewch. Mae'n rhaid i ni anghofio am bob dim oedden ni'n feddwl cynt, ac edrych ar bawb o'r newydd. Tydan ni ddim yn adnabod y tri yma, ddim go iawn, ac maen nhw'n gwybod manylion diogelwch y sw, felly mi fyddai wedi bod yn eithaf rhwydd iddyn nhw dorri i mewn a dwyn Nisien."

Maen nhw'n dawel wedyn, ac yn sydyn dwi'n teimlo fel Mr Parri eto, wedi dweud y drefn. Dwi'n ochneidio ac yn eistedd i lawr efo nhw cyn troi at dudalen arall yn fy nodiadur.

"Ac, wrth gwrs, mae yna fwy o bobl i'w cysidro…" Mae'r tri yn edrych arna i yn eiddgar.

"Jasmine."

Cyn i mi orffen dweud ei henw hi mae Oli'n chwerthin.

"O, Sara Mai, callia! Fasa hi ddim yn gallu dwyn neidr tasa hi isio! Ti ddim yn cofio sut wnaeth hi ymateb wrth weld Nisien? Sgrechian fel babi!"

Dwi'n edrych ar Oli heb ddweud dim. Go iawn, go iawn, dwi'n gwybod ei fod o'n dweud y gwir, ond dwi ddim yn trystio Jasmine. Efallai ei bod hi wedi cael help rhywun arall i ddwyn Nisien? Deuawd neu dîm o ladron, hyd yn oed? A pham ei bod hi a Seb wedi ffraeo ddoe? Oedd Seb yn gwybod rhywbeth efallai?

"Oes gen ti unrhyw enw arall ar dy restr?" holodd Leila i dorri'r tawelwch.

Ar ôl i'r heddlu fod acw yn gofyn cwestiynau ro'n i wedi disgwyl iddyn nhw osod tâp melyn o gwmpas y terariwm a defnyddio powdr arbennig i chwilio am olion bysedd – fel maen nhw'n gwneud ar y teledu. Ond wnaethon nhw ddim! Heddlu ceiniog a dimau! Dwi ddim yn gwybod pam na wnaethon nhw, a dwi ddim wedi siarad yn iawn efo Mam eto chwaith, felly dwi ddim wedi ei holi hi.

Ond roedd hyn *yn* golygu bod modd i mi sleifio yno fy hun wedyn i chwilio am gliwiau. Ac mi ddes i o hyd i gliwiau. Cliwiau mawr.

Dwi'n rhoi fy llaw yn fy mhoced ac yn tynnu dau beth allan; darn bach o wlân coch, a Polo mint.

Mae Nia a Leila yn edrych yn hollol wirion arna i, ond dwi'n medru dweud wrth edrych ar wyneb Oli ei fod o'n deall arwyddocâd y ddau beth yma.

"Na…" meddai'n dawel bach.

"Na be?!" meddai Leila, yn ysu i gael gwybod beth oedd y ddau beth bach yma yn ei olygu.

Dwi'n clirio fy llwnc eto cyn dechrau esbonio.

"Wel, mae James wastad, wastad yn gwisgo ei

het bompom goch, ac mae Zia bob amser yn cario paced o Polo mints yn ei phoced."

Dwi'n gadael i'r criw bendroni dros fy ngeiriau, ac mae'r pedwar ohonon ni'n syllu ar y dystiolaeth.

"Na," meddai Oli'n bendant, gan wthio'r gwlân a'r Polo mint ata i. "Na, Sara Mai." Dwi'n edrych arno gan synhwyro ei fod am ddweud mwy. "No we ho-se y basa James neu Zia wedi gwneud hyn. Dwi methu coelio dy fod ti'n eu hamau nhw!"

"Ond…" mae Oli'n torri ar fy nhraws cyn i mi gael cario ymlaen.

"Maen nhw'n caru'r sw, Sara! Fasan nhw byth yn gwneud hynna i Nisien, nac i ti a dy deulu. C'mon! Tydi hyn ddim yn dystiolaeth; cyd-ddigwyddiad ydi o. Maen nhw'n gweithio yn y sw. Mi allai'r Polo mint fod wedi disgyn allan o boced Zia unrhyw adeg – neu o boced rhywun arall, hyd yn oed. Dim hi ydi'r unig berson yn y byd sy'n bwyta Polo mints!

"A James, wel, roedd o wedi bod yno'r noson cynt yn gwneud yn siŵr bod terariwm Nisien wedi cloi, yn doedd? Felly mi fyddai'r tamaid yma wedi medru disgyn allan o'i het bryd hynny. Neu ella mai rhywbeth hollol wahanol ydi hwn! Does dim modd profi mai o het James ddaeth o!"

Erbyn iddo orffen siarad mae'r gloch yn canu yn y pellter ac mae'n amser i ni fynd yn ôl i'r dosbarth.

"Rydan ni angen tystiolaeth gadarn, Sara Mai. Oes 'na gamerâu CCTV yna? Oedd unrhyw un wedi gweld unrhyw beth amheus y diwrnod hwnnw? Oes yna neidr fel Nisien wedi ymddangos ar y we yn cael ei gwerthu? Mae'n rhaid i ni gasglu mwy o wybodaeth go iawn, achos tydi o ddim yn bosib mai Zia neu James wnaeth hyn. Callia."

A gyda hynny mae o'n codi ar ei draed ac yn brasgamu yn ôl am y dosbarth, gan adael Nia a Leila yn edrych yn bryderus arna i.

"Dewch," meddai Leila, "neu mi fyddwn ni mewn trwbwl." Ac wrth i ni redeg i mewn mae'r nodiadur yn llosgi yn fy llaw a dwi'n meddwl am y dudalen yn y cefn, lle dwi wedi ysgrifennu enw un person arall dwi'n ei amau. Oli.

Meddwl fel neidr...

Dwi'n trio dal llygaid Oli amser cinio er mwyn i ni gael trafod mwy ond mae o'n canolbwyntio yn llwyr ar ei gêm bêl-droed. Fel arfer mi fyddwn i wedi mynd i chwarae efo fo a'r criw ond does gen i ddim amynedd heddiw. A wnes i ddweud dim diolch i gynnig Leila a Nia o fynd i wneud *dance routine* i un o ganeuon newydd Yws Gwynedd hefyd. Fedra i ddim meddwl am unrhyw beth ond Nisien.

Ble mae Nisien bellach, tybed? Dwi'n teimlo'n sâl wrth ei ddychmygu wedi ei wasgu mewn bocs cardfwrdd yn rhywle, yn ddryslyd ac yn llawn ofn. Neu wedi ei gau mewn bag cefn, a'r sip ddim ond

ar agor fymryn bach iddo gael awyr iach. Pwy fyddai'n gwneud y ffasiwn beth?

Ro'n i'n teimlo'n euog ofnadwy wrth sgwennu enw Oli yn fy nodiadur neithiwr, ond mae'n rhaid i mi gofio am gyngor Mali'r Milfeddyg. Ffeithiau – canolbwyntio ar y ffeithiau. A'r ffeithiau am Oli? Dwi'n gwybod nad oes ganddo fo a'i fam lawer o bres. Tydi o byth yn sôn am y peth, ond dwi'n gwybod ei fod o'n poeni am y peth weithiau. Mi ofynnodd i gael dod i mewn i'r sw am ddim, do? Ac mi holodd a o'n i am gael cyflog am arwain y tri newydd o gwmpas y sw. Ar y pryd ro'n i'n meddwl ei fod o'n gwestiwn od, ond ar ôl meddwl eto, efallai ei fod yn gwestiwn y basat ti'n gofyn os wyt ti angen pres.

Faswn i byth yn dweud dim byd, a does dim gronyn o ots gen i, ond dwi'n gallu gweld bod lot o ddillad a sgidiau Oli wedi dod o siop ail-law. Tydi o byth yn gwisgo dillad newydd sgleiniog, byth mewn cit Cymru newydd fel rhai o'r hogiau eraill yn y dosbarth.

Ac mae Nisien werth lot o arian. Lot. Miloedd ar filoedd. Ella, ella, bod Oli yn gweld ei fam yn poeni am arian trwy'r amser, a'i fod o wedi gwneud rhywbeth gwirion i drio ei helpu hi. Roedd o yno, yn y sw, pan ffeindion ni fod Nisien ar goll. A ffaith arall… roedd o wedi gwneud ei waith ymchwil am bobl yn gwerthu nadroedd prin ar y farchnad ddu, yn doedd?

Dwi'n ysgrifennu ambell nodyn o dan enw Oli yn y nodiadur:

- Angen pres??
- Adnabod y sw yn dda – yno'r bore hwnnw.
- Gwybod lot am nadroedd.
- Y farchnad ddu?

Yna dwi'n clywed llais Oli yn y pellter wrth iddo ddathlu sgorio gôl a dwi'n crynu, er fy mod i'n eistedd reit yn llygad yr haul. Plis, na. Plis, plis, na.

Mae'r prynhawn yn llusgo hefyd, a dwi mor falch o gael camu ar y bws am dri o'r gloch. Wrth i mi osod fy mag wrth fy nhraed ac estyn y nodiadur i wneud mwy o waith ymchwil dwi'n clywed sŵn piffian yn dod o gefn y bws. Dwi'n anwybyddu'r peth i ddechrau. Does gen i ddim amynedd efo plant Blwyddyn 6 sy'n meddwl eu bod nhw'n cŵl, ond yna dwi'n clywed y gair 'neidr' a fedra i ddim peidio troi rownd i weld.

"Sgandal, tydi, Sara Mai?" meddai Ciron, un o fechgyn gwirionaf Blwyddyn 6, gan ddal ei ffôn yn yr awyr fel petai'n disgwyl i mi fynd yno i edrych ar ei sgrin. Ond dwi'n methu gweld y ffôn a does gen i ddim amynedd bod yn bysgodyn i'w wialen, felly dwi'n troi yn ôl i eistedd, ond yna mae'n darllen y stori yn uchel i bawb glywed.

"*Rare snake stolen from zoo! The owners of Sw Halibalŵ, the popular local zoo, have confirmed that a Lavender Albino python, potentially worth up to £40,000 on the black market, was stolen from the zoo over the weekend. The Police have been informed and are investigating but there are no official suspects yet. Local councillor Bob Harris says: "It's a shock and a shame that this has happened…"*

O na – mae'r stori allan! Mae hyn yn broblem enfawr! Mi fydd hi'n anoddach i ni ymchwilio i'r drosedd rŵan, achos mi fydd y troseddwr yn gwybod bod yr heddlu yn chwilio amdano neu amdani, ac yn siŵr o drio cael gwared ar Nisien cyn gynted â phosib! A go brin y byddai unrhyw un yn ddigon gwirion i drio gwerthu Nisien ar y we rŵan – mi fyddai'n cael ei ddal yn syth! O na… dwi ddim eisiau i Nisien druan orfod gweld y tu mewn i'r un toiled byth eto…

Dwi'n anwybyddu holl gwestiynau a herio'r plant ac yn llamu oddi ar y bws wrth iddo gyrraedd y sw, cyn rhedeg nerth fy nhraed bob cam at y tŷ. Dwi'n disgwyl gweld pawb yno, ond mae'r tŷ yn wag. Ble mae pawb?

Dwi'n newid o fy nillad ysgol mewn hanner munud cyn sgrialu allan i chwilio am Mam. Mae'n hen bryd i ni siarad. Ond wrth i mi ddechrau rhedeg dwi'n clywed llais yn galw arna i.

"Esgusodwch fi, Sara Mai!"

Dwi'n troi ac yn gweld mai Liam ydi perchennog y llais. Mae o wrthi'n carthu lloc Llywelyn Fawr. Mae'n codi ei law arna i yn araf, felly dwi'n cerdded ato ac yn tynnu anadl ddofn – reit 'ta, dyma ni, mae'r gwaith o fod yn dditectif cudd yn dechrau rŵan. Dyma'r unig ffordd o ddatrys y dirgelwch a dod o hyd i Nisien.

"Helô, Liam…" dwi'n meddwl am rywbeth arall i'w ddweud ond does dim rhaid i mi.

"Sara Mai," meddai Liam, gan wyro ei ben fel petai'n moesymgrymu. "Nisien druan, Nisien druan. Dywedodd James wrtha i. *Such a shock. I can't…* dwi'n methu credu."

Mae o'n edrych ac yn swnio fel petai o'n ei feddwl o, ei ysgwyddau yn drwm. Ond efallai mai actor gwych ydi o.

"Dwi'n gwybod," meddwn i. "Fedra i ddim coelio chwaith. A does gen i ddim llawer o ffydd yn yr heddlu a dweud y gwir."

"Na fi," meddai Liam yn syth. "Mae'n rhaid

dod o hyd i Nisien. Rhaid i ni feddwl fel neidr."

Meddwl fel neidr? Sut mae hynny'n mynd i helpu os ydi'r neidr yn styc mewn bocs neu dwll dan grisiau? Ond dwi'n awyddus i gario mlaen efo'r sgwrs rhag ofn y bydd Liam yn datgelu cliwiau heb feddwl, felly dwi'n nodio fy mhen.

Erbyn hyn mae Liam yn mwmial dan ei wynt wrth rawio pentyrrau mawr o bw arth.

"Os ydi e'n ofnus, bydd yn cuddio. Ac mae neidr yn gallu cuddio am amser hir. Neu fel arall, wrth gwrs, bydd yn ceisio dianc. *The great escape.* Felly mi allai fod yn unrhyw le… Roeddwn i'n sôn am Nisien y noson aeth o ar goll – roeddwn i'n dweud wrth fy *flat mate…* ffrind fflat? A wedyn, y diwrnod wedyn, roedd e wedi mynd."

Dwi'n codi fy nghlustiau. Mae Liam yn rhannu tŷ gyda rhywun felly? Dwi'n pwyso a mesur fy ngeiriau nesaf yn ofalus.

"Adre oeddet ti y noson honno, felly?"

"Ie, roedd fy ffrind fflat wedi gwneud swper i mi, a wedyn wnaethon ni wylio ffilm am nadroedd, digwydd bod. *The Anaconda Adventures*. Ffilm ffantastig."

Mae gan Liam alibi felly! Byddai ei ffrind yn gallu tystio mai yno oedd o y noson honno, yn y fflat, trwy'r nos! Felly mae'n amhosib mai Liam sydd wedi dwyn Nisien. Mae'r rhyddhad yn llifo trwydda i fel afon, ac yn sydyn dwi'n teimlo ychydig bach, bach yn well.

Erbyn hyn mae Liam yn sgwrsio efo Llywelyn Fawr, felly dwi'n codi llaw yn frysiog ac yn cerdded yn fy mlaen i chwilio am Mam, ond ar ôl mynd o olwg y lloc rydw i'n estyn y nodiadur o fy mhoced ac yn rhoi llinell fawr ddu trwy enw Liam. Dyna un yn llai i'w amau.

Wrth godi fy mhen dwi'n gweld Mam yn y pellter yn siarad efo Zia. Maen nhw'n edrych fel dau barot lliwgar, rhwng gwallt oren Zia a'r sgarff amryliw sydd gan Mam am ei phen. Dwi'n cerdded draw atyn nhw, yn trio paratoi fy hun. Dwi wedi osgoi Mam ers iddi hi a Dad ddod adre o Gaer. Beth os bydd hi'n gweld bai arna i? Beth os bydd hi'n gandryll efo fi?

Wrth eu cyrraedd mae Zia a Mam yn gorffen eu

sgwrs ac mae Zia'n codi llaw arna i cyn cerdded draw am y dderbynfa.

Heb gynllunio gwneud hynny, dwi'n rhedeg at Mam a gafael amdani'n dynn.

"Bobl annwyl, be dwi wedi neud i haeddu hyn?" gofynna Mam wrth fwytho fy ngwallt.

"Dwi'n sori, Mam. Dwi mor sori."

Mae Mam yn mynd ar ei chwrcwd nes ei bod yn edrych reit i fy llygaid.

"Sori am be, 'mechan i?"

"Am Nisien 'de! Fy mai i ydi'r cwbl. Taswn i ond wedi mynd i wneud yn siŵr ei fod o'n iawn cyn cysgu, taswn i ond wedi…"

"Sara Mai." Mae Mam yn codi ei llaw fel person rheoli traffig. "Dyna ddigon. Does 'na ddim bai arnat ti. Dim o gwbl. Hogan fach naw oed wyt ti, Sara Mai. Dim dy gyfrifoldeb di ydi holl anifeiliaid y sw!"

Yn sydyn mae'r rheinoseros oedd yn eistedd ar fy stumog ers dyddiau yn codi ei ben ôl rhyw fymryn, a dwi'n sychu'r dagrau yn frysiog gyda chefn fy llaw.

"Ti ddim yn gweld bai arna i?"

"Wel nac ydw, siŵr! Does dim bai ar neb, 'nghariad i, ac yn sicr does dim bai arnat ti. Plis paid â meddwl hynny am eiliad, iawn? Dwi'n gwybod dy fod ti'n meddwl y byd o'r anifeiliaid, a dy fod ti'n torri dy galon fod Nisien wedi mynd, ond gyda lwc mi ddaw'r heddlu o hyd iddo'n fuan, a wedyn gawn ni anghofio am yr holl fater. Shhh rŵan."

Dwi'n anadlu'n ddwfn wrth i Mam afael amdana i, ac yn ogleuo ei harogl cyfarwydd hi; rhywbeth rhwng arogl tost, blodau, awyr iach a phridd.

"Dyna ti," meddai, gan sychu'r deigryn olaf sydd ar fy moch a mwytho fy ngwallt. "Dyna ti, Sara fach. Pam na ei di draw i helpu James? Mae o wrthi'n bwydo'r pademelon."

Dwi'n nodio ac yn gwenu ar Mam. Mae hi wastad yn gwybod sut i wneud i mi deimlo'n well. Bydd hel mwythau gyda Siw, Miw a Cyw yn saff o helpu, a bydd yn gyfle i mi holi James hefyd. Ble oedd o y noson aeth Nisien ar goll? Roedd Zia wedi cynnig iddo ddod acw am bitsa efo ni, yn doedd? Ond roedd o wedi dweud fod cynlluniau ganddo.

Dwi'n sythu fy nyngarîs ac yn cychwyn i gyfeiriad lloc y pademelon. Mae gan y ditectif yma waith i'w wneud.

Brawd mawr a bara garlleg

Mewn coedwig law ym Malaysia mae yna bryfyn rhyfeddol yn byw. Ei enw Saesneg ydi Orchid Mantis, a'r rheswm am hynny? Am ei fod yn gallu gwneud ei hun i edrych yr un ffunud â'r blodyn tegeirian, sef *orchid*. Mae o'n anhygoel; wrth wneud ei hun i edrych fel blodyn gwyn, tlws, mae pryfed bach yn glanio yn syth arno, ac yna mae o'n eu bwyta nhw i ginio! Athrylith o anifail! Felly'r diwrnod hwnnw, pan dwi'n mynd draw i holi James, dwi'n meddwl am y mantis tegeirian, ac yn gobeithio na fydd James yn synhwyro 'mod i'n ceisio ei hudo i mewn i drap.

Wrthi'n archwilio Petra mae James pan dwi'n

cyrraedd lloc y pademelon, ac mae'r cywion pademelon bach, sydd ddim mor fach erbyn hyn, yn sboncio o gwmpas y lle'n hapus.

"Waw, maen nhw wedi tyfu, do James?" meddwn i er mwyn dechrau sgwrs. Mae'n deimlad rhyfedd iawn, iawn i amau rhywun rwyt ti wedi ei adnabod erioed, a dwi'n teimlo'n anghyfforddus tu hwnt yn amau James o ddwyn Nisien, ond rhaid cofio am gyngor Mali'r Milfeddyg – ffeithiau. James oedd i fod wedi cloi y terariwm, a does neb yn gwybod ble'r oedd o ar noson y diflaniad.

"Odyn glei!" atebodd, ond mae'n dal i edrych ar Petra.

"Ydi bob dim yn iawn?" holaf, wrth sylwi ei fod yn craffu'n reit ofalus ar y fam newydd.

"Odi, fi'n credu. Dyw Petra ddim fel petai'n gant y cant – smo ddi wedi byta ers rhai dyddie a ma hi'n fwy llonydd nag arfer."

Dwi'n meddwl am yr holl rieni blinedig dwi wedi eu gweld yn y sw, eu plant bach yn rhedeg ac yn sgrechian o'u cwmpas nhw.

"Ella ma wedi blino mae hi, am fod ganddi dri

o rai bach i ofalu amdanyn nhw." Ar y gair mae
sŵn yn dod o gyfeiriad y rhai bach a dwi'n troi i'w
gweld nhw wrthi'n brysur yn tyllu twnnel gyda'i
gilydd. Mae'n siŵr o fod yn lot o waith gofalu am
y tair!

Dwi'n cynnig deilen i Petra ac mae hi'n ei
bwyta'n ddi-lol.

"Ti'n gweld?" meddwn i, gan wenu fel giât ar
James. "Jyst wedi blino mae hi, 'sti."

Mae James yn gwenu'n ôl arna i ac yn mynd i
olchi ei ddwylo cyn gofyn a ydw i wedi clywed
unrhyw beth arall am Nisien. Dwi'n llyncu fy
mhoer cyn ateb.

"Na, ddim eto," Ac yna, gan nad yw James yn
dweud unrhyw beth arall, dwi'n ychwanegu, "Mae
sawl diwrnod wedi pasio bellach does, achos, ia,
nos Sadwrn oedd hi 'de… pan oedd Zia'n aros
acw efo ni… Ble oeddet ti'r noson honno eto?"

Dwi'n troi fy mhen fel bod James yn methu
gweld fy wyneb i. Dwi wedi bod yn un wael am
ddweud celwydd erioed, a dwi'n gwybod y bydd
fy wyneb yn fy mradychu.

"O, nos Sadwrn… wel, ie, fi oedd wedi cloi lan,

a wedyn, o ie, es i am dro i'r traeth, gyda ffrind. Ie, 'na fe, roedd hi'n noson braf, felly benderfynon ni funud ola bydde fe'n braf mynd i'r traeth am wâc fach."

Dwi'n edrych ar James trwy gornel fy llygaid. Mae'n dweud celwydd! Fedra i ddweud bod o'n dyfeisio'r stori wrth fynd ymlaen! Dwi'n gallu dweud wrth edrych arno, ond hefyd roedd o wedi dweud wrth Zia a fi bod ganddo gynlluniau, doedd? Felly doedd o ddim wedi trefnu unrhyw beth 'munud olaf'!

Er 'mod i'n hollol sicr ei fod o'n dweud celwydd, dwi'n ei chael hi'n anodd dychmygu James yn dwyn Nisien. Beth fyddai James yn ei wneud gyda neidr brin? Tydi o ddim yn berson sydd angen lot o arian, mae hynny'n amlwg – mae o'n reidio yr un beic ac yn gwisgo yr un het ers deg mlynedd. Ond pam ei fod o'n dweud celwydd wrtha i am noson y diflaniad?

Mae o bellach wrthi'n gwneud rhywbeth arall ym mhen pella'r lloc, neu o leiaf yn smalio gwneud rhywbeth i osgoi gorfod ateb mwy o fy nghwestiynau i, felly dwi'n penderfynu gadael iddo fo. Mae'r mantis tegeirian yma'n rhoi'r ffidil yn y to am y tro.

"Wela i di wedyn," meddwn i, cyn gadael James a mynd i wneud rhagor o nodiadau pwysig o dan ei enw yn y nodiadur.

- *Ble oedd o nos Sadwrn?*
- *Dweud celwydd – pam??*

Dwi'n treulio'r ddwy awr nesaf yn crwydro'r sw, yn archwilio pob clo a phob bollt, gan wneud yn siŵr bod pob wal yn gadarn, pob giât yn cau, ac yn gwneud yn saff nad oes unrhyw dwll mewn unrhyw ffens. Dwi wastad wedi meddwl am y sw fel lle diogel a saff, y lle gorau i anifeiliaid fod os nad oes modd iddyn nhw fod yn eu cynefin naturiol, gwyllt wrth gwrs. A dwi'n flin, yn gandryll a dweud y gwir, bod lleidr y neidr wedi newid hynna. Dwi'n poeni rŵan, yn gweld peryglon ym mhob man, ac ar bigau'r drain trwy'r amser. Mae'n rhaid datrys y dirgelwch er mwyn achub Nisien, wrth gwrs, ond hefyd er mwyn diogelu'r sw unwaith eto. Fama ydi fy nghartref i, a chartref yr anifeiliaid. Fedrwn ni ddim bod ofn yn ein cartref ein hunain.

Wrth i mi agor drws y tŷ mae arogl bwyd bendigedig yn llenwi fy ffroenau.

"Swper mewn deg munud, Sar," meddai Dad, wrth blygu dros y sosban sydd ar y popty, a rhoi llwy bren yn ei geg i flasu'r gymysgedd.

"Sbag bol heno! Ei di i ddweud wrth Seb bod bwyd bron yn barod, plis? Mae o yn ei lofft ers oriau. A gwylia di dy hun, does yna fawr o hwyliau arno fo. Dwn i ddim be sy'n bod."

Dwi'n golchi fy nwylo cyn mynd i fyny a churo ar ddrws Seb yn ysgafn. Tydw i ddim wedi siarad efo fo ers i ni ffraeo, ac er fod o'n boen, a'i fod o wedi dweud bod yr anifeiliaid yn wirion, dwi ddim yn licio ffraeo efo fo am hir.

Does 'na ddim ateb, felly dwi'n curo'r drws yn ysgafn eto cyn cerdded i mewn.

"Seb?"

"Be ti isio?" Gorwedd ar ei fol ar lawr mae o, yn chwarae gêm bêl-droed ar ei gyfrifiadur.

"Mae swper yn barod mewn deg munud."

Mae o'n gwneud sŵn chwyrnu fel mochyn heb dynnu ei lygaid oddi ar y sgrin. Er ei fod o'n *teenager* blin weithiau, tydi hyn ddim fel Seb, chwaith.

Fel arfer mae ganddo ddigon i'w ddweud. Dwi'n mentro i mewn i'w stafell ac yn cau'r drws ar fy ôl.

"Seb, ti'n iawn?" Yna dwi'n tynnu anadl ddofn ac yn gofyn, "Ydi Jasmine yn iawn?" Wedi'r cwbl, mi oedd hi'n edrych fel tasa hi wir wedi ypsetio yn y gegin y diwrnod o'r blaen.

"'Dan ni wedi gorffen," meddai Seb, heb unrhyw emosiwn yn ei lais a heb dynnu ei lygaid oddi ar y sgrin.

"Ooo!" meddwn i'n hapus, cyn dod â fy 'Ooo!' i lawr ambell draw er mwyn gwneud iddo swnio fel 'Ooo' trist.

"Ti'm angen smalio, Sara Mai. Dwi'n gwybod bo' chdi'n casáu Jas."

Mae'r geiriau yn fy synnu i. Dwi ddim yn ei *chasáu* hi! Dwi ar fin agor fy ngheg i ateb pan mae Seb yn dweud,

"Ond ro'n i wir yn licio hi."

Dwi'n oedi am eiliad, ond yna'n gadael y stafell heb ddweud dim. Dwi ddim yn gwybod beth i'w ddweud.

Amser swper dwi'n rhoi'r darn mwyaf o fara

garlleg i Seb. Dwi ddim yn gwybod sut deimlad ydi cael cariad a wedyn gorffen efo hi, ond dwi *yn* gwybod sut mae'n teimlo i fod yn drist.

Ar ddu a gwyn

Taswn i a fy ffrindiau yn anifeiliaid yr wythnos hon, dwi'n meddwl mai gwenyn fasan ni. Rydan ni wedi bod mor, mor brysur. Rhwng y rownderi a'r pêl-droed, y prawf Mathemateg a'r ymarferion dawnsio, doeddwn i, Nia, Leila ac Oli prin wedi cael hanner eiliad i drafod Nisien, felly roeddan ni wedi trefnu bod y tri yn dod i'r sw erbyn naw o'r gloch fore Sadwrn, i ddechrau o ddifrif ar y gwaith ditectif.

Dwi'n edrych trwy fy nodiadur wrth gladdu'r Coco Pops, ac yn ysgrifennu dyddiad heddiw, yn barod ar gyfer nodiadau ditectif y dydd. Rydan ni wedi penderfynu bod rhaid i ni wneud tri pheth: archwilio'r terariwm eto, dosbarthu cardiau â llun Nisien a fy rhif ffôn i arnyn nhw o gwmpas y sw a'r dref, ac yn bwysicach na hyn i gyd, siarad efo Alys a Pete. Dwi ddim wedi llwyddo i sgwrsio efo'r un ohonyn nhw eto i weld ble oedden nhw nos Sadwrn diwethaf, ac i weld a oes golwg euog arnyn nhw. Efallai eu bod nhw'n fy osgoi i?

Mae bron i wythnos gron wedi pasio rŵan ers i Nisien gael ei ddwyn a tydi'r heddlu ddim cam yn nes at ddatrys y dirgelwch. Mi ffoniodd Mam nhw neithiwr i holi ond doedd ganddyn nhw ddim newyddion iddi. Os basan nhw wedi cymryd olion bysedd ar y diwrnod, fel wnes i awgrymu, efallai y byddai Nisien yn ôl yn saff yn y terariwm erbyn hyn, ond yn lle hynny does dal ddim syniad ganddon ni lle mae o, a dwi'n poeni mwy gyda phob diwrnod sy'n pasio. Ydi o'n ofnus? Ydi o'n llwglyd? Ydi o'n... fyw?

"Be ydi'r llyfr bach 'na ti'n sgwennu ynddo fo trwy'r amser, Sara Mai?"

Mae Seb yn codi ei hun i eistedd ar gownter y gegin ac yn sglaffio Pop Tart rhif tri.

"O dim byd, jyst nodiadur."

"Ia alla i weld hynny, ond am be wyt ti'n sgwennu? Mae dy fywyd di mor *boring* alla i ddim dychmygu be sgen ti i sgwennu ynddo fo bob dau funud."

Dwi'n gafael mewn tamaid o dost ac yn rhoi ffling iddo at ben Seb nes fod Dad yn gweiddi dros y lle.

"Rhowch y gorau iddi, neu mi ro i chi i mewn efo'r mwncwn, ar fy llw!"

Mae 'mhoced i'n crynu a dwi'n gweld bod gen i neges – mae Nia, Leila ac Oli wedi cyrraedd.

"Dad, dwi'n mynd, maen nhw yma."

"Iawn, bihafia!" meddai Dad, fel mae o wastad yn dweud pan dwi'n mynd i rywle, fel taswn i'n siŵr o wneud rhywbeth ofnadwy. Mae Seb yn meddwl 'mod i'n ddiflas ac mae Dad yn meddwl 'mod i'n beryg bywyd. Wir yr! Weithiau dwi'n meddwl bod anifeiliaid y sw 'ma yn fy nabod i'n well na fy nheulu fy hun.

Dwi'n eu gweld o bell ac mae golwg barod ar y tri ohonyn nhw, mewn capiau pig ac yn gafael mewn nodiadur a beiro bob un. Fi oedd wedi dweud ei bod hi'n syniad da gwneud nodiadau fel Mali'r Milfeddyg, rhag ofn i ni anghofio rhywbeth.

"Iawn, awê?"

"Awê bombê!" meddai'r tri a fedra i ddim cuddio fy ngwên wrth i'r teimlad cynnes chwyddo lond fy mol.

Mae Nia a Leila am fynd draw at y terariwm – maen nhw am edrych o gwmpas yr ardal yn iawn eto rhag ofn ein bod wedi methu rhywbeth. Mae Oli a finnau am gychwyn yn ardal y crocodeilod; dwi wedi edrych ar y rota a dyna lle mae Alys bore 'ma, ac mae'n hen bryd i ni gael gair.

"Crocodeil ydi'r anifail sy'n perthyn agosaf at y deinosor, wyddoch chi?" rydan ni'n clywed Alys yn sgwrsio gyda theulu wrth i ni agosáu. "Mae yna grocodeilod ar y ddaear ers dros gant a phum deg miliwn o flynyddoedd, wir i chi! A phrin eu bod nhw wedi newid o gwbl yn yr holl amser yna!"

Mae gan y teulu blentyn bach sy'n siglo cerdded, ac mae Alys yn plygu i lawr ato ac yn pwyntio at y crocodeil, gan wneud siâp 'snap snap' gyda'i dwylo nes bod y bychan yn chwerthin.

Dwi'n gwybod heb hyd yn oed edrych arno bod Oli'n meddwl yr un peth â fi. Tydi Alys ddim yn edrych nac yn swnio fel lleidr. Mae'r teulu bach yn ffarwelio ag Alys ac yn crwydro draw i weld y pengwiniaid, gan adael Oli a minnau ar ben ein hunain efo hi.

"Haia, Oli ia?" meddai Alys, gan synnu'r ddau ohonon ni. Tydi hi erioed wedi cyfarfod Oli o'r blaen. Mae'n gweld ein wynebau dryslyd ac yn ychwanegu, "O sori, James oedd wedi sôn fod gan Sara ffrind o'r enw Oli!"

Rydan ni'n rhannu edrychiad wrth i Alys edrych ar y crocodeilod.

"Fedra i ddeall pam bod ar bobl eu hofn nhw, ond dwi wir yn meddwl bod crocodeilod yn greaduriaid arbennig," meddai, gan eu gwylio yn gorweddian yn y llyn mawr, oer. "Mae yna rywbeth gosgeiddig amdanyn nhw, dwi'n meddwl. Er mor ffyrnig."

"Ti ddim ofn crocodeils, felly… wyt ti ofn nadroedd?" gofynna Oli, mor gyfrwys ag eliffant!

"O na," ateba Alys. "Dwi'n dotio ar nadroedd! Meddwl am Nisien wyt ti? Mae'n destun pryder, tydi? Ydi'r heddlu rywfaint yn nes at ddal y lleidr? Mae'n anodd coelio bod unrhyw un wedi llwyddo i dorri mewn a'i ddwyn o. A James mor sicr ei fod o wedi cloi'r terariwm hefyd. Dwi ddim yn ei amau o, wrth gwrs, jyst rhyfedd o beth, yndê?"

Mae Oli a fi'n edrych ar ein gilydd eto'n gyflym cyn i fi gynnig ateb.

"Na, does gan yr heddlu ddim syniadau, 'sti… Be ti'n feddwl, rhyfedd o beth?"

"Wel, doedd y terariwm ddim wedi torri, nag oedd? Felly mae'n rhaid bod gan y lleidr oriad, neu ei fod wedi llwyddo i agor y terariwm heb dorri'r gwydr rywsut. Wel, fi oedd yn rhyw hel meddyliau, efallai mai rhywun sydd wedi bod yn y sw sawl gwaith o'r blaen sydd wedi gwneud, yntê? Rhywun oedd yn adnabod y lleoliad, ac wedi astudio'r terariwm, o bosib."

Erbyn hyn mae Alys fel petai hi wedi anghofio'n llwyr ein bod ni yno, ac yn siarad efo hi ei hun.

"Sori, dwi'n mwydro. Well i mi fynd – dim llaesu dwylo a finnau mond newydd ddechrau yma! Neis dy gyfarfod di, Oli. Wela i di'n fuan dwi'n siŵr."

Ar ôl iddi fynd mae Oli a finnau'n gwneud nodiadau.

"Sgwn i pwy mae Alys yn meddwl sy'n gyfrifol?" meddai Oli. "Roedd hi fel petai hi'n amau rhywun penodol, yn doedd? Ti'm yn meddwl? Mi soniodd hi am James dipyn, do?"

Ro'n innau wedi sylwi ei bod hi wedi enwi James sawl tro, a gan 'mod i'n brysur yn meddwl am hynny ro'n i wedi llwyr anghofio ei holi lle'r oedd hi nos Sadwrn diwethaf! Drapia! Byddai rhaid ei holi eto.

Ar ôl nodi ambell beth yn ein nodiaduron i ffwrdd â ni am y dref i rannu ychydig o gardiau. Oli sydd wedi bod yn brysur yn eu gwneud nhw. Mae o wedi gwneud llun arbennig o Nisien ar bob un, gyda'r geiriau: "Ydych chi wedi gweld y neidr brin hon?" wrth ymyl y llun. Ac ar y cefn mae fy enw i, cyfeiriad y sw a rhif ffôn. Efallai y bydd rhywun wedi gweld rhywbeth − tydan ni ddim gwaeth â thrio.

Wrth i ni grwydro a rhannu'r cardiau gyda phobl ar y stryd mae'r enw sy'n llechu yng nghefn fy nodiadur yn llenwi fy mhen. Oli. Dwi'n gwybod na ddyliwn i ei amau o ond fedra i ddim peidio. Ond os mai fo sydd wedi dwyn Nisien, mae o'n actor da iawn. Mae o fel tasa fo'n poeni'n fawr am Nisien. Fyddai o wedi medru gwneud rhywbeth fel'na? Dwi'n trio ei ddychmygu yn sleifio i mewn i'r sw liw nos, yn llwyddo i agor y terariwm rywsut, rhoi

Nisien yn ei fag ac yna brasgamu yn llechwraidd am adre cyn i unrhyw un ei weld. Go brin. Ond eto mae pobl yn gallu gwneud pethau od iawn pan maen nhw'n poeni neu mewn trwbwl. Dwi'n edrych arno wrth i'r syniadau droelli yn fy mhen ac yn gobeithio eto fy mod i'n anghywir.

Ar ôl rhannu ein cardiau Nisien i gyd rydan ni'n dychwelyd i'r sw at Nia a Leila ac yn eistedd efo'n gilydd ar y glaswellt i fwyta hufen iâ a thrafod ein diwrnod.

"Wel?" meddwn i'n syth wrth frathu tamaid mawr o'r ffon siocled oedd wedi ei phlannu yn fy hufen iâ. "Welsoch chi unrhyw beth?"

"Naddo," meddai Nia, gan edrych yn siomedig iawn. "Mi fuon ni'n chwilio am oriau, do, Leila?"

"Do, ond dim lwc yn anffodus. Be amdanoch chi? Welsoch chi Alys a Pete?"

"Gawson ni air efo Alys," meddai Oli cyn i mi gael cyfle. "Tydi hi ddim yn swnio fel lleidr, ac mae hi fel tasa hi'n meddwl mai rhywun sydd yn y sw yn aml sydd wedi gwneud. Ond na, dim llawer o gliwiau a dweud y gwir."

Yn sydyn dwi'n sylwi bod yn rhaid i mi bi-pi ar ôl yfed can o Vimto yn y dref, felly dwi'n esgusodi fy hun, yn pasio fy hufen iâ i Nia ac yn rhedeg i'r toilet agosaf. Wrth bi-pi dwi'n cofio mai yn y swyddfa mae Pete yn y prynhawn, yn gwneud gwaith papur, felly bydd rhaid i ni feddwl am ryw esgus i fynd yno i'w holi ar ôl gorffen ein hufen iâ. Dwi ddim yn siŵr am Pete. Mae'n ddigon posib mai fo ydi'r troseddwr. Mae'n ymddangos yn ddiniwed ond efallai mai sioe yw'r cwbl. Wrth i mi gerdded yn ôl at y criw yn barod i ddweud hyn mae'r byd i gyd yn arafu.

Mae'r pedwar nodiadur ar y glaswellt, ac mae Oli yn darllen fy nodiadur i. Mae 'nghalon i'n dechrau curo'n galed. Mae fy nwylo i'n dechrau chwysu a dwi'n cerdded yn gynt rhag ofn bod modd i mi stopio Oli rhag gweld y dudalen olaf ond wrth agosáu dwi'n gweld fy mod i'n rhy hwyr. Dwi'n rhy hwyr! Mae Oli'n eistedd yno yn darllen y nodiadau dwi wedi'u gwneud amdano fo. Mae 'mhen i'n troi a dwi'n teimlo'r Vimto a'r hufen iâ yn un cawl mawr afiach y tu mewn i mi.

Mae Oli'n codi ei ben i edrych arna i; ei lygaid

yn wlyb. Dwi'n galw ei enw ond cyn i mi gael cyfle i ddweud unrhyw beth mae wedi codi a rhedeg i ffwrdd. Fedra i ddim edrych ar Nia a Leila. Dwi'n cipio'r nodiadur ac yn rhedeg i'r un cyfeiriad ag Oli ond mae o'n gyflym, a dwi wedi ei golli'n barod.

Dwi'n teimlo'r lwmp yn llenwi fy ngwddf a'r dagrau yn llosgi, ond yn sydyn mae llais James yn torri ar draws fy meddyliau.

"Sara, brysia, dere i helpu! Nawr!"

Petra

Yr eiliad honno mi faswn i'n gwneud unrhyw beth i gael bod yn slefren fôr. Does gan slefren fôr ddim emosiynau. Does ganddyn nhw ddim system nerfol fel pobl, felly does ganddyn nhw ddim teimladau, dim ond greddfau.

Ond wrth glywed James yn gweiddi arna i, a gan feddwl am y ffaith bod Oli newydd ddarllen fy nodiadur, mae gen i lot gormod o emosiynau. A dwi'n cael fy mhigo ganddyn nhw o bob cyfeiriad.

"Sara Mai! Deffra! Dere, dwi angen dy help di!"

Mae'r pryder yn llais James yn ddigon i fy ysgwyd a dwi'n rhedeg ar ei ôl, gan sylwi ei fod yn rhedeg i gyfeiriad lloc y pademelon.

"James, be sy? Be sy'n bod? Aros amdana i!"
Dwi'n rhedeg ar ei ôl fel y gwynt, gan geisio osgoi'r
holl blant sy'n crwydro'r sw yn araf bach, yn llyfu
hufen iâ heb frys yn y byd.

"Be sy?" Ond yna, ar ôl gwthio heibio'r holl
bobl sy'n edrych i mewn i'r lloc, dwi'n gweld be
sy'n bod. Petra. Mae hi'n gorwedd yn llonydd, ac
mae Siw, Miw a Cyw wedi heidio o'i chwmpas.
Maen nhw'n gwneud sŵn nad ydw i erioed wedi
ei glywed o'r blaen.

Wrth geisio cael fy ngwynt ataf dwi'n edrych ar
wyneb James. Mae'r direidi a'r hwyl arferol wedi
diflannu. Mae'n diolch i'r bobl wnaeth roi gwybod

bod Petra yn edrych yn sâl, cyn eu hel oddi yno, a chodi arwydd i ddweud bod y lloc yma wedi cau am heddiw.

"Sara Mai, fi angen i ti symud Siw, Miw a Cyw er mwyn i fi edrych ar Petra, o'r gore? Cer â nhw draw i ran arall y lloc a phaid gadel iddyn nhw ddod mas 'to, ti'n deall?"

Dwi'n nodio ac yn prysuro i afael yn y tri pademelon bach ond maen nhw'n cwffio i ddianc o fy mreichiau ac mae'r sŵn maen nhw'n ei wneud yn mynd yn uwch ac yn uwch.

"Sara! Nawr!"

Dwi erioed wedi clywed James yn swnio mor ddifrifol o'r blaen, felly, rhywsut, dwi'n ffeindio nerth i afael yn Siw, Miw a Cyw, a gafael mor dynn fel nad oedd modd iddyn nhw ddianc. Cyn i mi lacio fy ngafael dwi'n mynd â nhw i ben arall y lloc ac yn cau'r giât yn sownd fel na allen nhw fynd at Petra.

Mae'r tair ohonyn nhw'n gwichian ac yn nadu, gan grafu ar y giât, yn amlwg yn torri eu calonnau, eisiau bod yn agos at eu mam. Maen nhw'n synhwyro bod rhywbeth mawr o'i le. Dwi hefyd.

Dwi'n eistedd wrth eu hymyl, yn ceisio eu cysuro, ond does dim llawer o arddeliad yn fy llais, felly ar ôl tipyn bach dwi'n stopio siarad ond yn dal i fwytho eu cefnau a'u clustiau brown, meddal, ac ar ôl ychydig mae'r tair yn dod i eistedd yn agos, agos ata i, ac yn aros yn llonydd, llonydd wrth i mi eu mwytho.

"James?" Ar ôl deg munud, sydd wedi teimlo fel deg awr, dwi'n clywed sŵn giât lloc Petra'n agor. Dwi ofn clywed beth sydd gan James i'w ddweud. Mae fy stumog fel cwlwm mawr tyn, yn cnoi ac yn troi. O, am fod yn slefren fôr.

Tydi James ddim yn ateb, ond dwi'n gwybod ei fod o'n sefyll reit tu allan i'r lloc, mi fedra i ei glywed yn anadlu.

"James?" Dwi'n codi'n araf ac yn sleifio allan o'r lloc, gan gau y giât yn sydyn ar fy ôl cyn i'r cywion ddianc.

"Ni wedi'i cholli hi, Sar," meddai James yn dawel, dawel, ac wrth i'r geiriau bach ddisgyn o'i geg mae dagrau mawr yn powlio o'i lygaid.

O, Petra. Petra.

Ochr arall i'r giât mae fel petai Siw, Miw a Cyw

wedi clywed hefyd, ac mae'r tair yn dechrau taro eu hunain yn erbyn y giât ac yn gwneud sŵn gwichian a nadu mawr eto.

Yn sydyn dwi'n teimlo fel taswn i wedi cael fy mhigo gan fil o slefrod môr, a fedra i ddim dioddef y teimlad. Heb i mi sylwi bron mae fy nhraed i'n symud a dwi'n gwibio trwy'r sw, yn rhedeg heibio'r plant sy'n chwerthin, heibio'r teuluoedd sy'n tynnu lluniau, heibio'r anifeiliaid sy'n cysgu neu'n bwyta, yn perfformio neu'n cuddio. Dwi'n rhedeg ac yn rhedeg, y dagrau'n rowlio yn ôl am fy nghlustiau ac i fy ngwallt wrth i'r gwynt eu sgubo. Mae'r gwaed yn llifo ac yn pwmpio'n gynt ac yn gynt o gwmpas fy nghorff, nes 'mod i'n medru teimlo curiad fy nghalon yn fy nghlustiau.

Dwi ddim yn arafu nes cyrraedd drws y tŷ, ac yna'n peltio i fyny'r grisiau i fy stafell. Heb edrych i weld a oes unrhyw un adref, dwi'n tynnu fy sgidiau ac yn dringo i mewn i'r babell, lle mae'n gynnes ac yn dywyll. Dwi'n gwneud fy hun yn fach, fach ac yn tynnu blanced dros fy mhen cyn dechrau crio go iawn. A dweud y gwir, dwi'n swnio'n reit debyg i Siw, Miw a Cyw.

Mae dau lun yn mynnu ymddangos o flaen fy llygaid; corff llonydd Petra, ac Oli yn edrych arna i, a'i wyneb yn brifo. Wrth i mi weld y ddau lun yn fy mhen, dwi'n gwybod 'mod i wedi gwneud dau gamgymeriad mawr; peidio gwrando'n iawn pan oedd James yn amau bod rhywbeth o'i le ar Petra, ac amau Oli, fy ffrind. Fy ffrind gorau.

Oli. Oli sy'n glên ac yn ddoniol ac yn glyfar ac yn onest. Wrth gwrs na fasa fo wedi dwyn Nisien. Ddim mewn can mlynedd! Pam ar wyneb y ddaear 'mod i wedi ei amau?

Ac yn sydyn, yn lle bod yn drist dwi'n flin. A dweud y gwir, dwi'n gandryll efo fi fy hun.

Yr eiliad nesaf mae cnoc ar y drws. Dwi'n rhewi. Dwi ddim eisiau siarad efo neb.

Yna daw cnoc ar y drws eto, a chnoc arall wedyn. Dwi'n clywed y drws yn agor. Mam mae'n siŵr, neu Dad, wedi clywed be sydd wedi digwydd i Petra. Ond dwi ddim eisiau siarad efo nhw.

"Ewch o 'ma!" dwi'n gweiddi'n ffyrnig o grombil tywyll y babell, ond daw'r ateb gan lais annisgwyl…

"Sara Mai?"

Tywysoges Jasmine?! Be mae *hon* isio?! Chwilio am Seb, mae'n siŵr! Dwi wir yn gandryll erbyn hyn. Dwi'n codi'r flanced ac yn symud drws y babell yn wyllt.

"TYDI SEB DDIM YMA! DOS O 'MA!"

Mae Jasmine yn edrych fel petai wedi dychryn ychydig bach ond mae'n dal i sefyll yno. Ar ôl eiliad mae'n plethu ei breichiau o'i blaen ac yn ateb.

"Dim chwilio am Seb ydw i. Dwi isio siarad efo chdi. Rŵan tyrd allan o'r babell yna a stopia actio fel babi mawr, Sara Mai. A paid â siarad mor hyll efo fi chwaith. Dwi wedi dod yma i dy helpu di. Dwi'n meddwl 'mod i'n gwybod pwy sydd wedi dwyn Nisien. Dwi'n meddwl 'mod i'n gwybod pwy ydi lleidr y neidr."

Pabell, bocs a'r pair dadeni

Mae'n cymryd eiliad i'r hyn sydd newydd fynd i mewn trwy fy nghlustiau gyrraedd fy ymennydd... Jasmine? Yn gwybod pwy sydd wedi dwyn Nisien?

Dwi'n defnyddio fy nwylo fel weipars i hel y dagrau oddi ar fy wyneb ac yn dringo'n bendramwnwgl allan o'r babell. Dwi ar fin defnyddio fy llaw i sychu'r hylif tryloyw sy'n llifo allan o fy nhrwyn hefyd, tan i Jasmine gynnig hances i mi.

"Dyna ti," meddai, ei llais yn feddalach erbyn hyn.

"Be? Diolch. Ond sut wyt ti...? Pam..." Mae gen i gymaint o gwestiynau nes 'mod i ddim yn gwybod lle i ddechrau, ac mae Jasmine yn eistedd ar y gwely ac yn edrych arna i, wrth i mi faglu siarad.

"Eistedda a gwranda," meddai, gan atal y don ddiddiwedd o gwestiynau, ac am unwaith dwi'n gwneud fel mae hi'n dweud.

"Dwi'n meddwl 'mod i'n gwybod ble mae Nisien. A dwi am dy helpu di i'w hachub hi, a dod a hi'n ôl yn saff i'r sw. Iawn?"

Y cwbl fedra i wneud ydi nodio fy mhen.

"Ond, dwi… dwi isio i ti fod yn neisiach efo fi. Iawn? Dwi erioed wedi gwneud dim byd i ti, heblaw bod yn neis, ond ti'n afiach efo fi. Yn chwerthin ar fy mhen i ac yn actio fel taswn i'n berson ofnadwy a dy fod ti'n casáu fod Seb yn gariad i fi. Wel, yn arfer bod yn gariad i fi… ond tydw i ddim yn berson ofnadwy! Dwi'n neis!" Mae Jasmine yn stopio am hanner eiliad i gael ei gwynt cyn cario ymlaen.

"Dwi'n cymryd mai'r rheswm ti ddim yn licio fi ydi 'mod i'n wahanol i ti – am fod yn well gen i wisgo colur na welingtons, ac am 'mod i'n hoffi peintio fy ewinedd a gwisgo dillad neis yn lle gwisgo dillad blêr efo pw eliffant arnyn nhw. Ond ti'n gwybod be, Sara Mai?"

Erbyn hyn mae llygaid Jasmine yn fawr, a'i breichiau wedi eu plethu eto, felly dwi ddim yn meiddio torri ar ei thraws. Mwyaf sydyn dwi'n teimlo fel tasa plant Blwyddyn 7 lot, lot hŷn na phlant Blwyddyn 5.

"Tydi sut mae rhywun yn edrych ddim yn eu diffinio nhw. Jyst am 'mod i'n licio colur a dillad, tydi hynna ddim yn fy ngwneud i'n dwp neu'n wirion, 'sti. Ddylat ti ddim bod yn gas efo rhywun jyst am eu bod nhw'n edrych yn wahanol i ti."

Wrth i'r geiriau ddod o geg Jasmine dwi'n meddwl am Leila, a'r ffordd roedd hi wedi bod yn pigo arna i yn yr ysgol. Am fy mod i'n wahanol iddi hi. Mae waliau fy stafell wely yn cau amdana i, ac mae'r cryndod yn fy mol yn ôl, a'r dagrau ar fin llifo allan wrth i mi sylweddoli be dwi wedi wneud, ond yna mae Jasmine yn neidio oddi ar y gwely.

"Dyna ni! Dwi wedi dweud be o'n i isio'i ddweud. Reit 'ta, anghofiwn ni am hynna rŵan."

A fel petai dim wedi digwydd mae'n sefyll yn

syth ac tynnu ei gwallt yn dynnach yn ei phoni têl hir, felen. A dwi'n tynnu anadl ddofn ac yn llyncu fy nagrau.

"Wyt ti'n barod i achub Nisien?"

A chyn i mi gael cyfle i'w hateb mae hi'n troi ac yn cerdded i lawr y grisiau, felly dwi'n tynnu fy nwylo trwy fy ngwallt, yn sythu fy nghefn ac yn cychwyn ar ei hôl hi.

★

Yn y gegin mae Jasmine yn eistedd wrth y bwrdd ac yn gafael mewn nodiadur.

"Reit. Eistedd. Edrych."

Ac wrth i mi eistedd wrth ei hymyl dwi'n gweld ei bod hi wedi bod yn ceisio datrys y dirgelwch hefyd! Mae ei nodiadur yn llawn o enwau, cliwiau a gwybodaeth am ddiflaniad Nisien.

Dwi'n edrych ar Jasmine ac yn ei gweld hi'n iawn am y tro cyntaf.

"Ocê, ti'n barod am hyn?"

Dwi'n nodio ac yn aros.

"Pwy sydd wedi bod yn y sw yn ddiweddar?

Wedi bod yma am oriau yn crwydro o gwmpas? Ac wedi cael ei hudo gan Nisien?"

"Ymmm, Pete?"

"Naci siŵr," meddai Jasmine – gan droi at ei thudalen o nodiadau am Pete. "Mae Pete yn mynd i'r ysgol Sul ers ei fod o'n dair, Sara Mai. Fasa fo ddim yn mynd â chragen o lan y môr heb sôn am ddwyn neidr o sw. Na, dim Pete."

Dwi'n rhyfeddu wrth weld faint o waith ymchwil mae Jasmine wedi ei wneud, ac yn ysu i glywed pwy mae hi'n feddwl yw'r troseddwr go iawn.

"Felly, pwy, Jasmine?"

Mae hi'n edrych arna i cyn troi i'r dudalen nesaf yn ei nodiadur. Dwi'n ebychu wrth weld yr enw!

"Go iawn? Ti'n meddwl? Wnes i ddim hyd yn oed…"

"Yndw. Tyrd, wna i esbonio ar y ffordd."

★

Ugain munud yn ddiweddarach mae Jasmine a finnau'n eistedd ar y bws yn teithio tua'r ysgol uwchradd, gyda chawell a llygoden fawr wedi rhewi o dan gynfas wrth ein traed. Doedd Jasmine ddim yn siŵr am ddod â llygoden fawr wedi rhewi, ond os ydi Nisien yno dwi'n meddwl ei fod o'n haeddu tamaid go lew i'w fwyta ar ôl hyn i gyd.

"Dwi'n reit ffyddiog 'mod i'n iawn," sibrydodd Jasmine, gan ddangos ei nodiadau i mi eto. "Ond mynd i mewn i'r ysgol fydd y broblem, a hithau'n bnawn Sadwrn. Mae'n debygol y bydd rhywun o gwmpas. Un o'r gofalwyr neu'r athrawon *sad* sydd heb ddim byd gwell i wneud ar benwythnos. Fydd rhaid i ni feddwl am ryw stori i gael mynd i mewn."

Mae'r cogs yn dechrau troi yn fy mhen a chyn pen dim rydan ni'n cyrraedd yr ysgol uwchradd. Dwi erioed wedi bod yma o'r blaen; mae'r adeilad llwyd yn edrych ddeg gwaith mwy na fy ysgol i. Yn sydyn dwi'n meddwl am Oli. Fydd o'n medru maddau i mi am ei amau o? Neu fydda i'n dechrau yn yr ysgol fawr yma heb yr un ffrind yn y byd?

Wrth i mi hel meddyliau mae Jasmine yn gafael yn fy mraich ac yn fy nhywys oddi ar y prif lwybr i'r ysgol a rownd ochr yr adeilad enfawr. "Tyrd, drïwn ni fynd i mewn trwy'r Bloc Gwyddoniaeth."

Mae hi'n ddiwrnod braf eto, ac er ei bod hi'n ddiwedd y prynhawn erbyn hyn dwi'n teimlo'r chwys yn cosi gwaelod fy nghefn wrth i mi gario'r cawell a'r llygoden fawr o dan y gynfas. Maen nhw'n drwm, ond fydd o werth o os ydi Nisien yma.

Yn sydyn rydan ni'n gweld ffenest agored yn un o'r dosbarthiadau Gwyddoniaeth ar y llawr gwaelod, a fesul un rydan ni'n dringo i mewn. Mae popeth yn anferth yno, y desgiau, y bwrdd gwyn, y ffenestri. Popeth.

Fedra i ddim peidio ag aros yn llonydd i edrych o fy nghwmpas, ond mae Jasmine yn gafael yn fy mraich unwaith eto.

"Tyrd! Brysia!"

Rydan ni'n sleifio i lawr un coridor ar ôl y llall mor dawel â dwy lygoden eglwys, ond yna'n rhewi wrth glywed sŵn traed. Mae rhywun y tu ôl i ni!

"O cachu hwch!" meddai Jasmine o dan ei gwynt. "Mrs Edwards ydi hon, Pennaeth Cymraeg."

Ac mae Mrs Edwards yn dod tuag aton ni gan stompio ei hesgidiau mawr gyda phob cam, fel eliffant blin.

"Jasmine? Beth gebyst wyt ti'n neud yn yr ysgol ar ddydd Sadwrn? A phwy ydi hon?"

"Ymm…" Mae Jasmine wedi colli ei thafod, felly rhywsut rydw i'n llwyddo i gamu i'r adwy.

"O helô, Sara Mai ydw i, ffrind Jasmine. Ro'n i wedi bod yn siarad efo Jasmine am Chwedl Branwen, a Bendigeidfran a Nisien ac ati ac…" ac mae fy ymennydd yn gweithio gan milltir yr awr wrth i mi ddyfeisio'r stori fesul gair.

"Wel, rydan ni wedi bod yn dysgu lot amdani yn fy ysgol i, ac roedd Jasmine yn siŵr iddi weld llyfr am y chwedl yn llyfrgell yr ysgol, ac roeddan ni'n digwydd pasio, felly dyma Jasmine yn dweud y basan ni'n gallu picio mewn i chwilio am y llyfr…"

Mae aeliau Mrs Edwards yn codi yn uwch ac yn uwch fel petaen nhw'n trio cyffwrdd y to.

"O ia? Nôl llyfr o lyfrgell yr ysgol ar ddydd Sadwrn?" Ac yn sydyn mae ei llygaid yn glanio ar y cawell sydd dan y gynfas yn fy llaw. "A be ydi hwnna?"

A chyn i mi feddwl yn iawn mae'r geiriau'n sboncio allan o 'ngheg i.

"Y pair dadeni! Rydan ni'n mynd i berfformio'r chwedl, felly rydan ni wrthi'n casglu'r props."

Mae Jasmine yn peswch ac yna'n dweud, "Ia, y pair dadeni. Pair. Ia. Dadeni. Felly, mi awn ni rŵan. Hwyl, Mrs Edwards."

Mae'r athrawes fel petai hi wedi rhewi yn ei hunfan ar ôl clywed ein stori wallgof, ond ar ôl eiliad mae'n gweiddi ar ein holau, "Gwych iawn! O na fyddai pob disgybl mor awyddus! Pob hwyl gyda'r ddrama!"

Ac mae Jasmine a finnau'n gorfod dal ein trwynau rhag i ni chwerthin dros bob man wrth i ni sgrialu i lawr y coridor!

Ar ôl i ni glywed traed eliffant Mrs Edwards yn diflannu rownd y gornel mae Jasmine yn agor drws ac arno arwydd yn dweud 'Mathemateg, Blwyddyn 9'.

"Fan hyn?"

Mae Jasmine yn amneidio, ei gwallt yn bownsio. I mewn â ni'n dawel, gan dynnu'r drws ar ein holau. Gan basio'r desgiau i gyd mae Jasmine yn cerdded yn syth at gwpwrdd ym mhen pella'r ystafell.

"Reit, barod?"

Mae'n agor drws y cwpwrdd ac am eiliad rydan ni'n dwy yn syllu i'w grombil tywyll. Tania Jasmine fflachlamp ar ei ffôn a'i chwifio o gwmpas. Does dim byd ond silffoedd yn y cwpwrdd, silffoedd yn drwm dan bwysau hen, hen lyfrau. Mae'r gronynnau llwch yn dawnsio'n araf o'n blaenau yng ngolau'r fflachlamp.

"Does 'na'm byd yma ond llyfrau," meddwn i, gan deimlo'r siom yn llifo i mewn i fy ysgyfaint yn y cwpwrdd bach myglyd.

"Aros..." meddai Jasmine, gan roi'r ffôn yn fy llaw. "Dal hwn i fi." Ac yna mae'n dechrau tynnu'r llyfrau i gyd oddi ar y silffoedd – fesul un, yn araf a gofalus i ddechrau, ac yna'n gynt ac yn gynt nes bod y llwch yn llenwi'r stafell a'r llyfrau'n un pentwr blêr ar lawr.

"Jasmine! Be ti'n neud? Bydd ddistaw neu mi fydd Mrs Edwards yn..." Ond cyn i mi gael cyfle i orffen y frawddeg mae Jasmine yn sibrwd, "Sara Mai, edrych..." ac o'i blaen, wedi ei guddio y tu ôl i'r holl lyfrau, mae bocs cardfwrdd mawr.

Mae ein llygaid yn cwrdd trwy'r niwl o lwch. Gyda'n gilydd, rydan ni'n llusgo'r bocs o gefn y

cwpwrdd. Mae o'n drwm. Yn sydyn daw sŵn siffrwd ohono. Mae Jasmine yn gafael yn ei ffôn ac yn ei bwyntio at y bocs. Gyda symudiad araf a gofalus dwi'n codi un gornel ac yn gweld fflach o gyhyr mawr, melyn a phorffor.

"Nisien!"

Y gwir o'r diwedd

Dwy awr yn ddiweddarach, a hithau wedi dechrau tywyllu a'r sw wedi cau am y dydd, rydan ni'n eistedd o gwmpas ein bwrdd yn y gegin, ac am ryw reswm dwi'n meddwl am Chwedl Branwen. Tybed a wnaeth Bendigeidfran a Nisien a'r criw eistedd o gwmpas bwrdd fel hyn yn dilyn y digwyddiad erchyll efo'r ceffylau? Wrth feddwl am y chwedl dwi'n meddwl am Oli, ac yn cael poen yn fy mol. Mae un sedd wag wrth y bwrdd.

"Reit 'ta!" Mam sy'n siarad, ac mi fedra i ddweud ei bod hi o ddifrif am rywbeth pan mae'n dechrau'r frawddeg efo 'reit 'ta'. "Dewch i ni glywed popeth. Y gwir *i gyd* os gwelwch yn dda."

Mae pawb yn dawel, yn edrych o gwmpas y stafell, a neb yn edrych fel tasan nhw am ddweud gair, ond yna mae Jasmine yn dechrau siarad.

"Sylwi wnes i fod o'n ymddwyn ychydig yn od yn yr ysgol. Yn diflannu heb esboniad o hyd, yn gwneud pethau hollol wallgo er mwyn cael ei gadw i mewn yn ystod amser cinio ac ar ôl ysgol. Ac yna un diwrnod wnes i bron â mynd i mewn i'w fag ysgol o, yn meddwl mai fy mag i oedd o, ac roedd o jyst â chael ffit binc. A dyna pryd wnes i roi dau a dau at ei gilydd."

Ar y gair, mae drws y gegin yn agor, ac yn araf iawn iawn, mae o'n cerdded i mewn, ei ben yn isel a'i wallt mawr blêr yn sticio fyny i bob cyfeiriad. Fel tasan ni mewn pantomeim, mae pob pen yn y stafell yn troi'n chwim i edrych arno.

"Helô. Mm... ges i dy decst di, Seb... Ymmm..."

"Eistedda, Sam," meddai Mam, yn gadarn.

Mae Sam yn llusgo ei draed at y gadair wag cyn eistedd i lawr. Mae'n gwisgo trowsus du gyda phocedi bob ochr, a hwdi ddu gyda llun penglog arni. Mae pob llygad yn y stafell arno fo, ac mae pawb yn fud. Yn sydyn dwi'n cael ysfa i weiddi neu sgrechian i dorri'r tawelwch, ond dwi'n pinsio fy nghoes i atal fy hun. Fyddai hynna'n bendant ddim yn helpu'r sefyllfa!

"Felly, Sam, fel mae Seb wedi esbonio wrthat ti, mae Jasmine a Sara Mai wedi darganfod Nisien mewn bocs cardfwrdd yn y cwpwrdd yn y stafell Maths. Felly, wyt ti'n mynd i gyfaddef mai ti wnaeth ddwyn Nisien? Neu wyt ti am wadu'r cwbl?"

Mae'n anodd gweld wyneb Sam o dan yr holl wallt brown blêr, ond mi fedra i weld wyneb Seb yn iawn. Mae'n fy atgoffa o wyneb Oli pan welodd o fy nodiadur i.

"Ymmm. Dwi'm yn gwybod... dwi jyst..."

Yn sydyn, mae James yn tynnu ei het bompom goch ac yn ei gwasgu rhwng ei ddwylo.

"Beth ddaeth dros dy ben di, grwt? Yn dwgyd neidr?! Galle fe wedi bod yn hynod ddansierus! A bydde unrhyw beth wedi gallu digwydd i Nisien! Smo ti'n meddwl am unrhyw un heblaw ti dy hunan? Isie prynu *skateboard* newydd o't ti siŵr o fod, ife?"

"Na! Wir yr! Do'n i ddim am werthu'r neidr. Wir."

"Wel pam ei dwyn hi 'ta?" holodd Dad yn sydyn, yn ddiflewyn-ar-dafod.

"Wel, ro'n i jyst… ro'n i mor *amazed* efo hi. Pan weles i hi gynta o'n i mewn rhyw fath o *trance*! Mae mor cŵl a jyst *mind-blowing* rili. Ia, *so*, do'n i ddim isio gwerthu hi. O'n i jyst, o'n i jyst isio hi. Isio hi fod efo fi, yn agos ata i am dipyn. Fel cwmpeini, ia? Faswn i byth wedi'i gwerthu hi."

Ac yn sydyn, Seb sy'n siarad.

"Ond, Sam, dwi'n ffrindiau efo chdi. Dwi'n gwmpeini i chdi, dydw? Pam oedd raid i ti ddwyn o'r sw? O 'nghartref i."

Mae ateb Sam mor dawel nes 'mod i prin yn ei glywed, hyd yn oed wrth glustfeinio.

"Adra dwi angen cwmpeini. Mae Mam a Dad yn ffraeo lot. *So* dwi'n y llofft ar ben fy hun, fel, trwy'r amser."

Ar ôl i Sam ddweud hyn mae'r awyrgylch yn y stafell yn newid. Fedra i deimlo'r aer yn teneuo, fel petai'r gegin newydd gymryd llond llwnc o wynt.

Cyn i neb gael cyfle i ofyn unrhyw beth arall mae Sam yn bwrw mlaen.

"Ti'n cofio o'r blaen, chdi'n dangos i ni y gap bach, bach 'na yn y ffens sydd y tu ôl i lloc y jiráffs? Ffor'na ddes i mewn. Wnes i'r twll yn fwy ond ei gau o wedyn efo pleiars." Dim ond ar Seb mae Sam yn edrych, ond mae pawb yn y stafell yn glustiau i gyd.

"A cofio wnest ti jôc am ryddhau'r llewod arnan ni os oeddan ni'n trio dwyn Jasmine gin y chdi? A profi fo wrth ddangos y goriada sbâr i gyd? I bob un lloc? Wel, es i fewn i fan'na ac oedd *o*," meddai, gan amneidio at Pete, "a'i ben yn ganol ryw bapurau so wnes i allu sleifio a dwyn y goriad o'n i angen yn rili hawdd."

Ar hyn mae rhai pobl yn edrych ar Seb, sy'n cochi, rhai yn edrych ar Jasmine, sydd hefyd yn cochi, a rhai ar Pete. Mae Pete yn trio siarad ond mae'n cael atal dweud cyn cychwyn: "Dwi, dwi, dwi, fedra i…"

Ond mae Mam yn rhoi winc iddo ac yn ysgwyd ei phen, cystal â dweud paid â phoeni, paid â phoeni, nid dy fai di ydi hyn.

"Ia, *so*, wnes i agor y terariwm. A dyna lle oedd y neidr *amazing* 'ma, jyst yn gorwedd yna. A siriys rŵan 'de, pan wnes i afael ynddi hi a roid hi yn y bag 'de, oedd hi fatha bod hi isio dod, *so* o'n i'n teimlo fatha bod o'n ocê. O'n i'n meddwl ella fod Nisien isio cwmni hefyd."

Dwi methu brathu fy nhafod ddim mwy.

"Ond sut oeddat ti'n bwriadu edrych ar ei hôl hi? Yn lle oeddat ti am ei rhoi hi? Efo be oeddat ti am ei bwydo hi?" Dwi'n sylwi bod fy llais i'n mynd yn fwy ac yn fwy blin gyda phob cwestiwn. "Oeddat ti'n meddwl fasat ti'n cael getawê efo hyn? Sgen ti'm syniad faint o broblemau ti wedi greu!"

Mae'r dagrau yn bygwth llifo wrth i mi siarad, a meddwl eto am Oli yn edrych yn fy nodiadur ac yn gweld ei enw ei hun. Ond dwi'n benderfynol 'mod i ddim am grio o flaen pawb, felly dwi'n brathu tu mewn fy mochau mor galed â fedra i, i stopio fy hun rhag crio, ac yn syllu ar Sam.

"O'n i ddim rili wedi planio'r peth. O'n i jyst yn *sort of*, neud o. Ond ia, wnes i sylwi o'n i'n methu cadw neidr mewn bag o dan gwely fi, *so* dyna pryd wnes i benderfynu mynd â fo i'r ysgol. O'n i'n meddwl fasa mwy o le yn fan'na."

Wrth edrych o gwmpas y stafell dwi'n cael trafferth darllen wynebau pobl. Mae Zia'n crensian Polo mints ac yn dal ei phen ar ongl; mae Alys, Pete a Liam yn edrych ar ei gilydd neu ar eu traed yn nerfus; mae Dad yn rhwbio ei ên drosodd a throsodd; mae Seb yn sbio ar Jasmine, a Jasmine yn sbio ar y wal; mae James yn syllu trwy'r ffenest, ac mae Mam yn edrych ar Sam yn yr un ffordd â mae hi'n edrych arna i cyn rhoi cyngor i mi. Dwi'n adnabod yr olwg sydd ar ei hwyneb hi.

"Clyw, Sam," meddai Mam o'r diwedd gan dorri ar y tawelwch. "Wnawn ni ddim dweud wrth yr heddlu."

Yn sydyn mae yna sŵn rhyfedd yn dod o geg Sam a'r munud nesaf dwi'n gweld dau ddeigryn yn llifo i lawr ei foch.

"Dwi'n meddwl dy fod ti'n sylweddoli pa mor wirion oedd beth wnest ti. Dwyt ti ddim angen hyn ar dy record a thithau mor ifanc. Iawn, pawb yn gytûn? Wnawn ni ddim dweud wrth yr heddlu?"

Dwi ar fin protestio pan dwi'n gweld llygaid Mam ac yn penderfynu peidio anghytuno. Mi faswn i'n ddigon hapus i Sam fynd i'r carchar am dipyn, i gael amser mewn cawell ar ei ben ei hun i feddwl, ond Mam sy'n iawn, mae'n siŵr. Dim ond yr un oed â Seb ydi Sam.

"Ond mae'n rhaid i ti wneud yn iawn am yr hyn rwyt ti wedi ei wneud. Felly dwi am i ti ddod i wirfoddoli yn y sw." Wrth glywed hyn mae wyneb Sam yn goleuo, fel petai newydd gael andros o anrheg gwych.

Aeth Mam yn ei blaen. "Mae'n rhaid i ti wneud cant o oriau gwirfoddol, iawn? Zia – ti fydd rheolwr Sam, ocê? Gei di benderfynu pa dasgau sy'n addas iddo fo."

"Dim probs," meddai Zia gyda gwên, cyn ychwanegu, "sgin ti'm problem efo pw, nag oes, blod?"

Ac yn sydyn mae pawb yn y stafell yn chwerthin. Mae Nisien yn ôl yn saff yn y terariwm. Mae'r troseddwr wedi ei ddal. Mae'r sw yn saff unwaith eto.

Ond mae fy mol i dal yn brifo, achos wnes i roi gwahoddiad i Oli i'r cyfarfod brys hefyd, a tydi o ddim yma.

Ffarwél olaf

Mae wedi cymryd lot o amser i mi baratoi'r araith, ond dwi'n meddwl 'mod i'n barod. Dwi'n sefyll o flaen y drych ac yn ceisio cael trefn ar fy ngwallt am y canfed tro, yn sythu fy ffrog, ac yn trio gwenu. Dwi'n teimlo'n wirion mewn ffrog, ond dwi eisiau gwneud ymdrech heddiw, er mwyn Petra.

Dim ond criw bach fydd yn y gwasanaeth; rydan ni am aros nes fod y sw wedi cau, ond cyn iddi nosi. Gwasanaeth yn y gwyll. Ro'n i'n meddwl y byddai hynny'n addas, gan mai Dusky Pademelon oedd Petra. Dwi wedi bod yn mynd draw i weld Siw, Miw a Cyw lot dros yr wythnosau diwethaf yma, i geisio eu cysuro nhw, ond i chwilio am gysur fy hun hefyd, os dwi'n onest.

Tydi Oli dal ddim yn siarad efo fi. Mae tair

wythnos wedi pasio erbyn hyn, a wneith o ddim dweud gair wrtha i. Mae'n ymddwyn fel tasan ni erioed wedi bod yn ffrindiau.

Dwi'n sbio yn y drych unwaith eto ac yn anadlu'n ddwfn. Dwi ar fin meddwl tybed beth fyddai cyngor Mali'r Milfeddyg yn yr achos hwn ond yna dwi'n cofio – tydi Mali'r Milfeddyg yn gwybod dim am bobl, am natur ddynol, am ffrindiau. Mali'r Milfeddyg sy'n gyfrifol am y llanast yma yn y lle cyntaf. Hi a'i ffeithiau. Ffeithiau, ffeithiau, ffeithiau.

Mae'r araith yn fy llaw a dwi'n gallu clywed y bobl olaf yn gadael y sw felly dwi'n cychwyn am allan, gan bendroni tybed a ydi Oli wedi gweld y gwahoddiad wnes i roi yn ei ddrôr yn yr ysgol, ac a fydd o'n fodlon dod heno. Roedd o'n hoff iawn o Petra hefyd, a Siw, Miw a Cyw.

Lawr grisiau mae Seb a Jasmine yn eistedd ar y soffa, yn aros amdana i.

"Ti'n edrych yn neis, Sara Mai," meddai Jasmine yn glên. Mae hi'n edrych yn neis hefyd, yn amlwg. Ac mae Seb yn edrych yn hapus. Mae'r ddau yn dal dwylo wrth i ni gerdded draw at lloc y pademelon a tydw i ddim bron â chwydu erbyn hyn. Dwi'n dechrau dod i arfer â chael Jasmine o gwmpas eto. Rŵan 'mod i wedi sylweddoli ein bod ni ddim mor wahanol â hynny i'n gilydd, rydan ni'n dechrau dod yn fwy o ffrindiau. Ond dwi dal ddim eisiau eu gweld nhw'n snogio. Ych!

Mae Alys a James yr un mor gariadus, ond maen nhw'n fwy doniol achos maen nhw'n meddwl bod neb yn gwybod eu bod nhw'n gariadon, ond go iawn mae pawb yn gwybod! Zia wnaeth ffeindio allan yn y diwedd, pan wnaeth Alys gyfaddef mai wedi mynd allan am swper gyda James oedd hi y nos Sadwrn honno pan aeth Nisien ar goll. Felly dyna ble'r oedd James! Dyna pam ei fod o'n dweud celwydd! Mae Zia'n meddwl mai ofn edrych yn amhroffesiynol maen nhw, trwy fod yn gariadon *a* gweithio gyda'i gilydd, ond fasa dim ots gan neb. Mae o'n reit ddoniol eu gwylio nhw'n ceisio cuddio'r peth a dweud y gwir!

Wrth i ni gyrraedd y lloc dwi'n gweld bod Nia a Leila wedi dod, ac mae Pete, Alys a Liam yno'n barod hefyd. Yna mae James, Mam a Dad yn ymlwybro tuag aton ni, ar ôl gorffen cloi'r til a chau'r giatiau am y dydd. Dwi'n edrych o gwmpas yn obeithiol ond does dim golwg o Oli.

Dwi wir ddim yn licio siarad o flaen pobl, ond mae gen i bethau dwi angen eu dweud, ac mae Petra yn haeddu ffarwél teilwng. Felly, ar ôl i bawb gyrraedd, dwi'n clirio fy llwnc, ac yn cychwyn arni:

"Noswaith dda, bawb. Diolch i chi gyd am ddod.

Digwyddiad trist iawn sy'n dod â ni at ein gilydd heno. Colli Petra.

Roedd Petra yn ffrind i ni i gyd, ac mae hi wedi mynd, am byth, a ddaw hi byth yn ôl. Mi faswn i'n gwneud unrhyw beth yn y byd i gael pair dadeni, er mwyn rhoi Petra i mewn ynddo a rhoi ail fywyd iddi, ond dim ond mewn chwedlau mae petha fel'na'n digwydd.

Felly yn lle hynny, ac fel teyrnged i Petra, dwi am roi'r bywyd gorau posib i'w merched hi, Siw, Miw a Cyw. Maen nhw dal yma, yn fyw ac yn iach. Yn llawn bywyd.

A dyna sy'n bwysig go iawn. Gwerthfawrogi'r rhai sydd yma o'n cwmpas ni. Heddiw. Rŵan.

Sylwi arnyn nhw'n iawn. Dim jyst eu cymryd nhw yn ganiataol, ond eu gwerthfawrogi nhw. Dweud wrthyn nhw gymaint rydan ni'n licio nhw. Diolch iddyn nhw am fod yn ffrindiau go iawn i ni.

Eu coelio nhw. Ymddiried ynddyn nhw. Gwrando arnyn nhw. Bod yna iddyn nhw, a diolch pan maen nhw yna i ni. Achos fel arall, be ydi'r pwynt 'de? Heb ffrindiau, be ydi'r pwynt?"

Wrth i mi ddweud hyn mae'r haul yn taflu golau pinc cynnes dros yr awyr, yn un ffarwél olaf cyn clwydo. Ac wrth i mi sibrwd ta-ta wrth Petra, a sychu'r dagrau sy'n llifo i lawr fy moch, mae fy llygaid yn glanio ar siâp yng nghefn y dorf. Yno, yn gwenu'n dawel arna i yn ei grys Everton, mae Oli.

Y DIWEDD

Hefyd gan yr awdur:

£5.99

Holwch am bris argraffu!
www.ylolfa.com